春天 New Spring R211

[敗犬收容所之三]

我的孕母新娘

有容

新月文化事業股份有限公司・發行

害怕畢業等於失業？想要轉業怕時機不對？

別驚別怕！新月給你不景氣年代的新選擇！

盛大歡迎寫作界充滿鬥志的新手、想要轉換跑道的好手、充滿點子的網路連載高手，

加入新月作家陣容，往暢銷作家之路邁進！

相信新月，讓你的夢想成真。

★**過稿福利**。有名有利有贈書，重點是夢想成眞，腦海的世界能在書架上呈現。

★**專業團隊**。新月編輯團隊擁有多年編輯經驗，溝通沒問題、企劃沒問題。在新月都是一家人，有任何問題，編編都會親切的回答你。

★**行銷廣告**。人要衣裝、書要包裝，好書也要能被看見！新月有專業完善的行銷廣告企劃，能把作者們的書寶寶推出去。

★**遠見規劃**。誰說寫作不能當飯吃？只要你靈感不斷、有質有量，編輯就能幫助你往名利雙收的專職作家之路邁進。

③ 請尊重著作權，切勿抄襲、轉譯。

④ 想知道更多投稿細節？還有更多問題想問？請上新月家族網站——http://www.crescent.com.tw

附註：你不是寫作高手，但很想加入新月大家族？沒問題！
繪畫高手們，我們也徵封面圖喔；書迷讀者們，可以上家族網站支持我們。

新月出版集團　花園系列　春天　甜檸檬 Lemon　夕神幻界 FANTASY　月光之城　霓幻繪　藍海系列

貳、滿額禮大方送

購書金額	滿額禮
500元	魔幻伊甸園木質紀念明信片
1000元	魔幻伊甸園木質紀念明信片＋草莓妹書套一組(10枚)＋免運費
1500元	魔幻伊甸園木質紀念明信片＋草莓妹魔幻袋＋免運費
2500元	魔幻伊甸園木質紀念明信片＋草莓妹魔幻袋＋草莓妹書套一組(10枚)＋免運費
3500元	魔幻伊甸園木質紀念明信片＋草莓妹魔幻袋＋草莓妹書套一組(10枚)＋月光兔PVC鑰匙套＋免運費
5000元	魔幻伊甸園木質紀念明信片＋草莓妹魔幻袋＋草莓妹書套二組(20枚)＋月光兔PVC鑰匙套＋閃金鳳凰書籤＋免運費

※以上贈品數量有限，送完為止。

參、名家暢銷系列成套優惠中

精選2010各系列名家個人暢銷系列，推出超值優惠價，收藏好書就趁現在！

※詳細優惠書目及金額請上新月家族網查詢。

肆、周邊商品限量登場

2011草莓妹魔幻袋、心情門把吊牌、閃金鳳凰書籤、家有好神紅包袋（繪者：雪米糰）、好好用筆記本、吸水杯墊……等精緻周邊等你帶回家！

※以上周邊數量有限，售完為止。

伍、周末市集限時推出！

活動期間，**每週五18：00～週一18：00**推出週末市集，集結各書系優質作品限時優惠，**任選三本7折**，活動限時72小時，敬請把握搶購良機！

陸、你買書，新月買單！

活動期間於新月家族網站購書，每筆訂單都可參加抽獎，將抽出三張幸運的訂單，被抽中的訂單，即可獲得等值的購物金！

註1：兌獎以折抵下次於新月家族網站之消費為主要方式，不可兌換成現金。例如，小美於賞書節期間520元的訂單被抽中了，即獲得了等值520元的購書基金，下一次於新月家族網站購買600元的書，即可折抵書款520元，超出中獎金額的項（80元），可使用ATM、郵政劃撥兩種付款方式補足即可。

註2：購書基金使用期限自得獎公布日起算**60天內**使用完畢。逾期即視同放棄中獎資格。

春天 Now Spring

®212【鬥富之一】

金打的老公

芳妮◎著

新月文化事業股份有限公司 郵撥帳號：18706654/定價：190元

吼，他是她的背後靈嗎？
今天替同事送情書被他看到，還換來幾聲訕笑，
之前兩次差點被人侵犯，也都被他撞見她狼狽的模樣，
而且他一定是太閒沒事做，才會一直找她麻煩，
先是把她轉調成他的助理，又和她的同事說他對她比較有興趣，
害暗戀他的同事跟她鬧翻，沒多久就辭職不再和她聯絡，
不過說也奇怪，明明一開始她看他不太順眼，
可聊過幾次天後，她發現兩人其實有很多想法都很契合，
他也不像其他的公子哥那樣，一知道她家家道中落，
一改以前討好奉承的狗腿樣，毫不客氣地數落、嘲笑她，
而是一直陪在她身邊，給她力量，害她偷偷芳心暗許，
但有一點她始終不明白，他只是個小部長，
怎麼有辦法送她T牌限量鑽鍊，還是高級招待所的貴賓，
把超跑當禮物送人也沒差?!她真的「小」看他了……

專屬的愛情主張
棒球，是全民共享的運動，
你爲了我而奔跑，
則是我獨享的舉動。

新年好！

有容

這本《我的孕母新娘》出書時，距離新年應該只剩幾天的時間吧？在此先向大家拜個早年！

恭喜恭喜！恭喜發財、身體健康、心想事成～

拜完年後，首先……向大家自首，這本《我的孕母新娘》在有容當初的計畫，該是排在《敗犬的一夜婚》之後，可因為……要動筆時突然沒感覺！欸，只得將于曉璐小姐先行出清，反正她天生少根筋，不會和小的我計較這麼多。

有容

這本《我的孕母新娘》是敗犬收容所的最終回。楚琬琰的故事我終於也說完它！老實說，這本書寫到後來，有幾個橋段我都得忍住手癢才能不去更動它！一來是這回我拖稿了……（歐飛……）

編編：「妳哪一次不拖稿？」

有容：「……」

總之，編編可能沒那個美國時間讓我去動它。二來，橋段一動字數又很難不爆增……欸，還是算了！這麼做會很可怕！

寫這篇序是在一個寒流來襲的夜，外頭還下著雨，真的好冷啊！

那天整理房間時，整理出一堆舊物和陳年相片。看著那些相片我又像走入時光隧道一般……

小時候的我、中學時的我、高中、大學時的我……哎，果然老了！通常只有老人家會這樣一臉懷念的看著相薄吧？

以前在這樣的天氣，有容總是喜歡在這樣的夜晚，和同寢室友人手一把傘漫步在雨中，走到福利社或餐廳去覓食。那四年即使後來有人不住宿，同寢室有的感情也都還不錯。欸，懷念啊！

總之，六、七坪大的空間，因為這邊懷念一下、那邊又懷念一下，我足足整理了一天。當然書櫃花了我最多的時間。倒不是書太多，而是太亂、太久沒好好整理！該檢討！

新年到了，房間除舊佈新，新氣象！加油！

2011年，願大家平平安安、心想事成！

恭喜恭喜恭喜……

楔子

天佑軒——一座坐落於美東郊區佔地甚廣的二樓東方建築。

仿唐式建築的灰瓦白牆裡頭，住了個個性古怪，不苟言笑，喜怒無常的藝術大師——谷天佑。

大師的雕刻作品被藝術評論家評為當代最了不起的藝術逸品。有人說他是神之手、有人說他是魯班再世……只是谷大師對這些恭維並不領情，面對眾多的邀約、巡展，一點興趣也沒有，許多人捧著白花花的鈔票請他雕刻作品，他一點也不心動。

想要買他的作品，還得看大師心情好不好，有沒有遇到看得順眼的人，肯不肯割愛。

藝術界人人都說谷天佑難搞，可他的作品卻沒有因此受到冷落，收藏家反而無不使出渾身解數搶購收藏。

管他市場上搶得再兇，古色古香的東方大門一關，將外頭的紛擾隔絕在外，谷天佑依舊是谷天佑，難搞又自我。

只是天生萬物，相生相剋，再龜毛的人還是有對手！

一個他累積五十多年難搞威力也轟不走、嚇不跑，將他不歡迎眼神當關愛、惡毒言語當天籟、咆嘯怒吼當唱山歌的怪咖。

要知道，英雄惜英雄，怪咖看怪咖也會越看越有趣！那個怪咖是——

一個二十歲左右的秀氣女孩。

一大清早的，女孩吱吱喳喳地說個沒完。「酈靜酈靜酈靜……是不是人帥，連名字都會好聽？」

「……」大師不屑地掏了掏耳朵。要他說呢，他姓谷名天佑，可強多了。

見谷天佑不搭腔，女孩又說：「他好帥！真的！我給你看過他的相片，你不也很贊同，說他有進演藝圈當偶像明星的條件？」

「丫頭，這句話妳三年來說了不下一百次。」年過半百的谷天佑留著落腮鬍，過長的頭髮隨意紮起來，幾許的頹廢、幾許滄桑，卻也有著幾許仙風道骨。

「他是個天才喔！你知道嗎，他……」

「十幾歲唸完醫學院，二十初頭歲取得博士學位成為醫學院教授，妳雖然也是資優越級生，可他比妳還厲害！

「他雖然冷漠、不苟言笑，可是對病人很溫柔！自從妳高中無意間去聽了他的演講後，就努力地考上醫學院成為他的學生……丫頭，這些話在這三年中，妳也說了不下百次，連我記性這麼不好的人，都背起來了。」

楚琬琰有些尷尬，紅著臉，噘著唇說道：「我每次來都有說一些新的啊。」

「是啊，他人高腿長，不穿白袍時常穿西裝，身材是標準的九頭身黃金比例，什麼衣服穿在他身上，都像模特兒在展示新裝。

「常常會聞到他身上有檸檬薄荷的淡雅味道，他的睫毛好長，好像沒看他笑過，他不開心時也不太罵人，只要淡淡一眼，就能嚇死台下那些和他差不多年齡的學生。他最喜歡的一道菜叫鳳梨蝦球，為了學這道菜，妳還蒐集了一堆資料，還很丟臉的把它們和報告一併交出去，報告分數打完送回來時，他還在報告上寫著這樣的評語——鳳梨蝦球做法完善，看得出用心，只可惜與醫理概論無關，恕無法加分。

「他還常喝黑咖啡，而且是藍山，嘖，臭小子，真他×的好命！」

楚琬琰笑了出來。「我沒有這樣罵過他啦！」

「是、是——真抱歉吶，我沒有忠於『原著』，忘了這年頭很著重版權所有！」

楚琬琰還是笑，但笑容卻有些閃爍，然後一點一滴的加入愁思。她輕輕的接口，不像是說給谷天佑聽，倒像是說給自己聽，反反覆覆的咀嚼著自己的心情——

「……因為班代表和老師比較有接觸的機會，我努力成為班代。有時只是將作業送到他的辦公室，有時只是跟著他到辦公室拿教學器材……但只要能多幾分鐘和他相處，我就開心的不得了。每個星期有他的課的日子，我總會特別開心，一整天心情都很好。」

那幾天她會在隨身的小筆記本上，畫上一個粉紅色的「♥」，還會寫些心情小語。

這丫頭今天是怎麼了？有點怪怪的。悲秋傷春的，和平常元氣滿滿的她有點不太一樣。「我說妳啊……連到我這裡來，被我趕出去無數次，仍不屈不撓的勇氣都源自於那小子。」

楚琬琰不好意思的笑了。

那是她一年級時，在一個炎熱的夏日午後，把同學們交的報告送到酈教授辦公室，當時他不在辦公室裡，為了放報告，她必須把原本放在他桌上的當代藝術雜誌挪到一旁，也因為這樣，她多看了那本雜誌幾眼。

封面上的木雕作品吸引了她的注意，忍不住讚美道：「好有感情的作品。」

那是一個女人抱著孩子的半身木雕作品，臉部神情細膩到像是要從木頭中走出來，其他部份則粗獷豪氣，整件作品剛柔並濟。

她不懂什麼樣的作品才算好，可封面上的這個作品卻讓她好感動。

她的話正好被甫踏入辦公室的酈靜聽到了，他便隨口問道：「妳也喜歡谷天佑的作品？」

這是她第一次聽到谷天佑的名字。拜他之賜，她得以和酈靜多聊了好一會兒，他真的很喜歡谷大師的作品，不過花了好長的時間仍得不到。

他如數家珍的說著大師發表過的作品，還說為了更進一步了解大師的世界，他還去上了一個多月的雕刻課程，深刻體驗到拿雕刻刀和手術刀真的不一樣！

那是她第一次看到酈靜笑，他笑起來右邊的嘴角會有個好看的梨渦，隨著他的笑意深深淺淺的旋著，她的心也像玫瑰般亮麗的綻放！

那一天，她的筆記本上多了一朵美麗的玫瑰，畫下玫瑰的心情，有酈靜的笑容和綻放在她心上的喜悅！

後來她努力的打聽之後才知道，谷天佑是當代名師，有錢還不一定可以買到他的作品，和他齊名的，是他的難搞。

她花了一番心血知道了大師住所，每個禮拜都來煩他，足足有半年的時間，她每次搭四、五個小時的車，卻連一面也見不到，倒是見到了他養的西藏獒犬「算你狠」；半年後，繼他家的「算你狠」被她的誠意感動後，他終於肯放她進門。

她請他雕刻，他冷哼一聲後，當然也沒理她。

楚琬琰不死心的把酈靜的相片拿給他看，每個禮拜來拜訪他時，說的全是有關酈靜的事，他的長相、穿著品味、個性、喜好……

如今每個禮拜到這裡拜訪大師，好像已經成為習慣。三年來，她除了少數幾個星期沒來，幾乎可以說是風雨無阻。

早忘了當初來這裡的目的，因為到後來她真的把谷天佑當成朋友，心裡有什麼話都會告訴他。

她是小留學生，父母都是開業醫生，小六時被送到美國後，就一直過著寄宿生活，只有過年時，家人才會來看她，或是她回台灣。

熬到了大學，她才和沒有住宿的同學合租學校附近的公寓。

她和兩個室友感情雖好，但她們都有男友了，假日很少待在宿舍，到谷天佑這裡來，起碼她不是一個人，還可以大方的聊著暗戀的人，反正谷天佑一開始就知道她是因為酈靜才來的，她也不必假裝。

「妳對那小子還真有心。」谷天佑說：「一年前妳告訴我那小子有個娃娃親的未婚妻時，我還以為妳會死心呢，現在看來是沒有。」這個傻丫頭，單純沒心眼、專情到沒藥救。「妳來這裡聊的都是他的事，要我說嘛，真的喜歡幹啥搞暗戀，大大方方告白就是！」

楚琬琰只是笑，然後搖頭。「我不想成為他的困擾，如果我是他的未婚妻，也不喜歡這樣。」那種「只要我喜歡，有什麼不可以」的橫刀奪愛式愛情，她做不來，如果她搶得來，也許她也不會這麼喜歡酈靜了。

「那就快快忘了啊！嘖，天涯何處無芳草，妳的條件好，不怕找不到比他好的人。」不是他在說啊，要他再年輕個二十歲，楚琬琰絕對是他會喜歡的型，長相清秀可人，性情活潑大方，很討人喜歡的啦。

「我啊……會忘了……很快！」

很快是她在說。谷天佑冷哼。

「佑伯。」

「幹麼！」

「其實，我今天來有件事要拜託你。」

「要我的作品？」其實他早準備好了，每一次都聽她在說酈靜、酈靜、酈靜……久而久之，「酈靜」就存在在他的腦海中了，他的眼神、他的表情，他獨持的性靈……感覺就像他真的和酈靜相處過。

感覺對了，他就動手了，只是不想太早如了這丫頭的意。

「……我打算休學一年。」

「咦？為什麼？妳成績很好啊，難不成妳家裡有什麼事？」

「不是，不是這樣的。」她不太敢面對谷天佑，他有一雙銳利的眼，無論有沒有看出什麼，她都有一種無所遁形的心虛，於是她佯裝欣賞盆栽，但心裡卻非常忐忑。「那個……我……」

「丫頭，有什麼事快說！」急死人了！

深呼吸，一本正經，臉上還有掩不去的紅暈。「我懷孕了。」

「……」他耳背嗎？方才好像聽到什麼可怕的字眼。

「我說，我有兩個多月的身孕了。」她一字一語清晰的說。

「……為什麼會懷孕？」他知道他問了一個很蠢的問題。

楚琬琰暗戀酈靜不只三年，到現在心裡還是只有他，他一直在想，像她那樣死心眼的人，恐怕不容易再愛上別人了，可是、可是……她現在卻告訴他——她、懷、孕、了?!

「就……就懷孕啊……」聲音小得像蚊子叫。

谷天佑畢竟見過世面，他很快的冷靜下來，小心的問：「孩子的爸是誰？」

「……酈靜。」

「咦?妳終於告白了嗎？」谷天佑轉憂為喜。「妳這丫頭，就說嘛，咱們琬琰丫頭秀氣又溫柔，只要下功夫，哪一個男人不動心！哈哈，孩子都有了，什麼時候請我喝喜酒啊？」

「不、不是這樣的……我沒告白，也不會有婚禮。」

「別告訴我，又是什麼酒後亂性，打死不負責的梗。」

「不是、不是……」

「那到底是什麼？妳知道我性子急，別讓我一直猜！」

「我當了代理孕母。」

又是平空一記雷啊！

代理孕母？就是那種拿了錢，把別人的蛋當自己的蛋在孵的那種工作？

這下連見過世面的谷天佑也忍不住瞠目結舌。「妳妳妳……妳缺錢嗎？還是腦袋有什麼問題？沒勇氣告白，卻有勇氣懷下那個男人和別的女人的孩子？」

「……」

「妳呆啦?!去！去把孩子拿掉，兩個多月還來得及！」

「不要！我是想請你收留我，因為這地方隱密。」

谷天佑又是一陣傻眼，聲音略微提高。「當了代理孕母，好的雇主該負責一切開銷，把妳安置好，給妳最好的環境待產吧，為什麼妳得自己找地方住，偷偷摸摸的把孩子生下來？」

楚琬琰低著頭，沒有回答，過了一會兒才說：「……我知道這樣真的很麻煩你，如果不行，那我另外找地方住好了。」

現在終於知道她為什麼要休學了！這個呆瓜！「丫頭！」他的屋子夠大，別說收留一個她，就算二十個也沒問題，但這不是重點！

「這孩子是美好的回憶、珍貴的紀念，把孩子生下來之後，我會把酈靜徹底的忘了。」

「這是什麼怪想法?!」

「我……從來沒有這樣喜歡一個人過。暗戀一個人的心情，感覺上什麼事都是偷偷摸摸的。偷偷的窺視他；偷偷走著他走過的路線，假裝他就走在身邊；偷偷的記住他的喜好、他寫白板時習慣——左手拿筆寫字，另一隻手插在西裝褲口袋的小動作、總共叫過幾次我的名字、他的喜怒……什麼都是偷偷的。這樣的甜蜜，有時很心酸。

「而今我的身體裡孕育著一個孩子，我這樣珍視的寶貝一旦離開我後，酈靜也一樣會很寶貝他，感覺上就像……我們同時很寶貝著一樣東西，一想到這裡，我就很滿足、很感動。」

「這樣就不心酸？」谷天佑實在想不透！這丫頭的倔強和毅力他見識過的，下定決心的事，改變主意的永遠是別人。他無法勸她改變主意，又不放心她搬到其他地方去。「……生孩子可是人生大事，妳可要想清楚。」這樣的事，想必連她父母都不知道吧？

「我想清楚了。」

谷天佑無奈一嘆。「……隨便妳了。」

楚琬琰感動的紅了眼眶。「謝謝。」

她輕撫著肚子，想著方才谷天佑說的話——沒勇氣告白，卻有勇氣懷下那個男人和別的女人的孩子？

其實代理孕母是真，可她對於忘年之交還是有說不出口的祕密。

酈靜的未婚妻找代理孕母，並不是像「正常孕母」，只提供子宮孕育受精卵，而是要「順便」提供卵子，最不可思議的是，她很在意她是不是完璧，確定之後，她居然還要她「完全」的代替她。

三個月前，某個酈靜喝得醉醺醺的夜，在他未婚妻的安排下，她摸黑上了酈靜的床。

以成熟男人渴求女人的方式，酈靜熱情的擁抱她……

第一章

六年後　台灣

早上將近六點，滿街的霓虹都褪去了聲光彩衣，恢復了短暫的安靜，隨著時間一分一秒的過去，車潮慢慢再現。

這個時候除了市場、早餐店、24小時的便利商店外，很少有店家會營業。一家位於辦公大樓附近的知名咖啡館「收容所」，因為也提供早餐服務，所以此時也正忙著準備工作，即使鐵門只拉起一半，透過玻璃落地窗，仍可看到裡頭員工忙碌的身影。

只是今天的收容所咖啡館彷彿特別熱鬧。原來大夥兒之前拿女老闆京德的情事開賭盤，現在結果出來了——下注買她帶回極品男的那方正樂得數鈔票，買她再度遇上爛男人的也願賭服輸，奉上鈔票，真心祝福。

這頭京德、于曉璐和遐齡正笑鬧喧譁之際，楚琬琰啜了口京德為她泡的咖啡，面帶微笑的看著好友們，心中的煩惱卻不知道從何說起！

三年前她回國任職，在醫院創立紀念日的酒會上，透過院裡的同事介紹，認識了同事的小學兼國中同學，翔達企業少東，盛睿云。

初次見面，他就坦率的表達對她的好感，她則微笑婉拒。

之後他放緩了步調，和她從朋友做起，默默陪在她身邊，不給她任何壓力，他對她的心意，她既感動，卻也覺得虧欠。

這份虧欠，讓她清楚的知道，她還是沒辦法打開心扉接受其他男人，盛睿云對她來說依舊只是朋友，一個她喜歡的朋友。

再這樣下去也不是辦法，她覺得找個時間她得再次清楚的拒絕他，不忍這樣的好男人，沒有一個溫柔美麗的女人相伴。

前天他生日，在許多的朋友起鬨下，有幾分酒意的他被拱著告白，在他誠懇認真的注視下，她無法說出「不」字，只能低頭不語，沒想到這個動作竟成了默許。

盛睿云開心的抱著她轉了又轉，彷彿得到了全天下最珍貴的寶物！他的驚喜落在她心底，成為最心酸的無奈，在這種情況下，她更說不出口。

失眠了兩晚，她一直很認真的考慮要不要接受盛睿云……她喜歡他，真的！只是總覺得……這樣的喜歡會不會永遠只是喜歡而無法更喜歡呢？他的感情，她能回應的又有多少？這種基礎毫不穩固的感情，又能維持多久……她有著很深的猶豫！

幾經考慮，她最終還是決定拒絕。只是這個時候，盛睿云卻剛好要到英國考察，將近有一個月的時間不在國內。

她送他到機場，臨行前他似乎隱約感覺到她仍擺盪的心，只是語重心長的告訴她——愛情可以很美，要完整才美。等待不是壞事，如果可以盼得月圓。他一向是個挑剔，凡事力求完美的男人，他只要完整的。

他在暗示她，交往的事她可以再考慮，下定決心就成為男女朋友，如果沒有，就退回原來朋友的位置。

雖然這件事目前可以暫緩下來，可楚琬琰仍是一點也不開心。

七點整，京德將鐵門完全升起，然後繼續和姊妹淘聊天。這時門上的花鈴傳來悅耳的聲音，客人上門，大夥一致開口，「歡迎光臨！咦？」

一個手上抱了隻彼得兔布偶的粉雕玉琢小女娃推開了玻璃門，正好奇的東張西望，活脫脫就像從童話故事裡走出來的小公主那般可愛討喜。

小女孩年約四、五歲，偏圓的小臉，大大的眼，挺直的鼻加上紅嫩的櫻桃小口，黑亮的長髮上戴著一只粉色蝴蝶結髮箍，白皙的皮膚透著玫瑰紅，一身材質絕佳的可愛童裝，背上還背了個名牌的小背包，看得出來家境不錯。

「好可愛的小女孩！」京德驚嘆。

「彼得！是彼得！」于曉璐開心的低呼！

所有的人看向她。「妳認識那小女孩嗎？她叫『彼得』？」

「不，我認識的是她手上的兔子，牠叫彼得兔！」不減開心的宣佈。

頓時翻白眼的翻白眼、無言的無言，這個少根筋的，為什麼她總有「模糊焦點」的本事？

京德再度看向小女孩。「好漂亮的孩子，長大後一定是個大美人！」

遐齡看了看小女孩又看了看楚琬琰。「妳們不覺得她長得和琬琰很像嗎？不，進階版的！」

「什麼意思啊？」

「她比妳漂亮！」

「她一定有個帥哥老爸。」楚琬琰笑著說。

「妳為什麼不說她有個比妳漂亮的媽？」遐齡涼涼的吐槽。

楚琬琰笑嗔道：「嘴巴真壞，這樣欺負我！是啦，小女孩的媽一定是個美人！」

因為咖啡館陸陸續續有客人進來，京德幾個人也不再開玩笑，開始忙碌起來。孩子王的楚琬琰快步走向小女孩，牽起她的手，小女孩只是好奇的看著她，並沒有拒絕，她將小女孩安置在入口處的座位，方便她的家人看到她。「妹妹，只有妳一個人嗎？」

小女孩看了看她，有些害羞的低下頭，玩著胸口的蝴蝶結不回答，她密長的睫毛搧呀搧的，搧得楚琬琰心都軟了。

好可愛喔～好想騙回家養！

不說話？沒關係，身為小兒科醫生的她，多得是讓小孩聽她的話的「法寶」。

「妳手上的兔子叫彼得兔對不對？」她拿出鑰匙圈，上頭有隻縮小版的彼得兔。「妳看，妳有的，阿姨也有。想不想這隻小彼得兔和妳的大彼得兔作伴？」

小女孩一聽，眼睛馬上亮了起來，終於正視楚琬琰，然後害羞的說：「阿姨好漂亮！」

小女孩嘴巴真甜。「妳也好可愛。」

然後小女孩認真的說：「她不叫大彼得兔，叫珍妮佛。每隻這種兔兔都叫『彼得』，一點也不特別。」害羞的伸出手摸了摸小隻的彼得兔。「好小隻，珍妮佛可以當姊姊了。」

這孩子真有自己的想法。楚琬琰解下了小彼得兔。「這個可以送妳喲！」

小女孩臉上有一瞬間的開心，之後又斂起笑容，搖搖頭。「謝謝，可是爹地說不能隨便拿陌生人的東西。」

小女孩想必來自於一個家教嚴謹的家庭吧？好乖！「妳爹地呢？」

對厚！小女孩太可愛了，她纏了她那麼久，都忘了這麼小的孩子不太可能自己到咖啡館，應該是跟著大人來的，可小女孩進來了那麼久，還是沒看到她的爸爸媽媽來找她。

突地一個念頭閃過腦海，莫非……小女孩走失了？不會吧！她沒有迷路小孩會有的失措慌張。

「爹地很忙，他不會來了。」

「……」這話是什麼意思？

「我來找人。」

「找誰？」

「楚琬琰阿姨。」她看著她，眼底有著好奇，還有一點……興奮。

「咦？找我的？」楚琬琰看著小女孩，心中古怪的想。她認識這個小女孩嗎？她的病人？不，這麼漂亮的小孩她沒道理沒印象。她認識孩子的父母嗎？仔細看小女孩的模樣，她有哪個朋友和這個小女孩長得像嗎？

她覺得她還比較像她呢！

到底是哪個混蛋又把小孩丟過來了?!又？沒錯！因為她是孩子王，特別喜歡小孩，醫院又設有員工的托兒所，因此，她的朋友中還真的有那種夫妻去渡假，就把小孩丟給她的！而且還不只一次！

只是那些小孩都是熟面孔，沒有這一個啊。

小女孩很有禮貌的說：「楚阿姨妳好，我叫蘇蕊，今年五歲。」從口袋裡摸出一封信。「這是爹地要我交給妳的。」

蘇蕊？她爸爸姓蘇？她的朋友中姓蘇的……

蘇登財蘇醫生嗎？不對，他都六十好幾了，這小女孩若是他女兒，強悍的蘇太太會提前了卻他的餘生。

楚琬琰滿腹疑惑的把信打開來看。打字信?!

楚醫生展信悅：

小女蘇蕊就拜託妳數日。

一個忙碌的父親留

楚琬琰看完信只想飆粗話！香蕉你個芭樂哩！這是什麼請託信？他忙碌，她就很閒嗎？什麼理由也沒說，甚至連個名字都不敢留！

是什麼樣的父親這麼不負責任？居然就這樣把小孩隨便交給別人照顧？而且不是一、兩個小時、半天，還數日呢！他就不怕她缺錢用把小孩給賣了?!

楚琬琰咬著牙很難不生氣！

看她似乎不高興，蘇蕊小小聲的說：「楚阿姨，不可以嗎？我不可以跟妳住幾天嗎？」大大的眼透著無言的懇求，直看著她。

直接拒絕好像在欺負小孩，楚琬琰在心中一嘆，「……也不是不可以，只是阿姨對妳爹地有些生氣！而且……我也不知道他是誰。」

她無法向一個小孩子解釋大人不負責任的行為，更何況是對女罵父。只不過，小女孩早就知道她會被帶來這裡嗎？又……為什麼她一點也不怕生？

不、不對！她對她就是楚琬琰一點也不懷疑，甚至一開始就確定她是她要找的人！「蘇蕊，妳……認識我嗎？」

美麗的小臉綻出害羞的甜笑，點了點頭。「認識。」

「怎麼認識的？」

低著頭玩彼得兔，小小聲的回答，「祕密。」

小女孩的樣子讓人無法再追問下去。好吧，用另一個方式問，「妳爹地很忙嗎？」

「嗯，很忙很忙，我最長有六十一天又十二個小時十二分沒有和他見面，不過後來，我每天晚上都可以見到他。」

六十一天又十二個小時十二分？楚琬琰暗暗心驚！是小女孩對數字太有概念，

還是她胡謅的？日、時、分都能分清楚，小女娃是天才嗎？而且六十幾天沒見到面？她爹地是做什麼大事業，會忙到兩個月都沒辦法抽空陪女兒！

「妳媽咪呢？」

小女孩看了她一眼，搖了搖頭。「不知道，我是奶媽帶大的。奶媽很疼我，會陪我玩，可我還是想要爹地陪，只是爹地很忙很忙，我不敢跟他說我想要媽咪。」蘇蕊看著楚琬琰。

同情心氾濫，楚琬琰難過的看著可憐兮兮的小女娃。

「楚阿姨，這幾天妳不要追問我爹地和我是誰，妳可不可以……可不可以把我當成妳的小孩一樣疼愛？幾天後我就會離開了，不會麻煩到妳。」

楚琬琰怔了怔，不知道為什麼，蘇蕊的話讓她很心酸。對於蘇蕊以及她的父親，她當然有很多疑問，可是……如果小蘇蕊只是想要這幾天能有媽咪疼愛的感覺，她一定會盡全力滿足她。

楚琬琰壓抑住滿腹狐疑。「好吧！就這麼辦！這幾天妳就暫時住我家吧！」

「真的嗎？」薛蕊開心的笑了，嘴角右邊有個若隱若現的梨渦。

看著那旋小梨渦，楚琬琰更是完全投降了！

梨渦啊……有著她最美好的回憶。很多年前，在她最喜歡的男人臉上，也有著一邊的梨渦，那男人表情少，更遑論笑，所以她在他臉上看到梨渦的機會很少。

那一天是星期四，有他的課。她筆記上畫著粉紅色的「♥」型記號，然後因為他的笑容，筆記上多了朵玫瑰花，還寫著——**在單戀孤獨而寂寞的路上，有著玫瑰花陪伴，我的孤單不孤單**。

只是玫瑰開在單戀路上的機會太少了，像是早預言一個人走完的結局。

小蘇蕊真是選對時間來了。

平常她是個工作狂，只要能工作就不休息，可她待的畢竟是大醫院，醫院有規定的輪休日，再加上同科的醫生要是有事不能上班，總會想到她，結果她累積了不少假，主任放話，她再不找時間把假消化完，就要強迫她放假了。

於是她大方的放了五天假，有充裕的時間可以陪蘇蕊。

相處了兩天，她發覺這個小女孩真是太有她的緣了，甜蜜、乖巧又懂事！

蘇蕊說她不想吃外面的食物，她就帶她去市場買菜，幾乎每個賣菜的人都會稱讚一下——

「妳女兒啊?好漂亮!」

「果然媽媽漂亮，女兒就漂亮!」

「嘩!這小女生長大要當明星的，真漂亮!」

楚琬琰得意的笑著，壓根兒忘了蘇蕊不是從她肚皮蹦出來的。

買好菜回到家，楚琬琰難得大秀廚藝，而嘴甜的小美女不停地讚美著每一道菜都好好吃，讓她得意得即使不當醫生，要她當專屬的煮飯婆都願意!

飯前洗手，飯後馬上刷牙，舉手投足像個小淑女，而且吃東西規規矩矩，也不會掉飯粒，楚琬琰更加確定蘇蕊是來自一個有良好家教的家庭，只是這樣的家庭，父母卻做出這麼令人匪夷所思的不負責行為?!

嘖!不是說不要想了嗎?

用過了午餐，當她陪蘇蕊看電視時發生了一段小插曲——

平常她很少看電視，有的話也只有看新聞，因此電視一打開就是新聞台，那是一則關於醫學的報導，報導前言是什麼她沒聽到，只聽到——想必這手術理論將為心臟病患帶來新契機!

重點似乎也不在這則醫學新聞，而是鏡頭帶到醫學學術研討會中的幾位名醫教授。在數位年過半百的國內心臟權威中，有一個高眺身影特別顯眼，除了他太高之外，也因為他的年輕，以及過份軒昂帥氣！

也不知道是現在新聞習慣追著帥哥美女跑，還是怎麼樣，那個帥哥醫生有好幾個單獨的鏡頭，拍攝的感覺不像在拍一則醫學新聞報導，反而像在拍偶像明星動態。

是……是他?!楚琬琰眼睛眨也不眨，怔怔然的盯著電視螢幕。

原來……他現在在國內?!莫名的，楚琬琰心裡又是一陣激動，眼眶不自覺紅了，連眼淚奪眶而出都不自覺。

「楚阿姨？」

楚琬琰心口一跳，拉回心神，她怎麼忘了家裡還有個小蘇蕊？胡亂的抹去淚水，有些尷尬的笑。「那個……方才電視裡有個人長得很像我以前喜歡的人，那個人……我真的真的好喜歡……」說這個沒關係吧？如果連對一個陌生小孩都得撒謊，日子真的很難過。因為太過激動驚訝、心酸慌亂，以及……想念，她的心短暫的處於無防備狀態。

「是剛才那個醫生大帥哥嗎？」

楚琬琰心一跳，震驚的看著她。「咦？妳……妳知道？」

「裡頭的醫生都好老，楚阿姨眼光沒那麼差吧？」若無其事的啜了口巧克力奶茶。「那種帥哥我也喜歡喔！」

楚琬琰笑了。真是人小鬼大！蘇蕊明明還是小不點一個，怎麼說起話來卻像個小大人？看來這個孩子除了智商驚人，想必有個特殊的成長環境，逼得她不得不早熟吧？「等到妳可以談戀愛，那個大帥哥也跟那些好老的醫生一樣了。」

「那我讓給妳！那個大帥哥讓給妳追。」

楚琬琰笑了，拍拍她的頭。「童言童語。」

「妳很喜歡的，不是嗎？是妳我才讓的。」

被逗笑了，說得好像帥哥本來是她所有，因為她，她才大方出讓。楚琬琰對她眨眨眼。「偷偷告訴妳一個祕密，以前我喜歡的那個帥哥，我都是偷偷的暗戀他。」

「什麼是暗戀？」

「就是他根本不知道我喜歡他。所以，如果有一天我遇到那個帥哥，我才不要追他哩，他追我才差不多！」

「他主動追妳，妳就要他嗎？」

裝模作樣的摩挲著下巴，「唔……考慮！」

那個男人——酈靜追她？太天方夜譚了，想都不敢想。

「那個人很跩喔，不會輕易追人的！」

楚琬琰吃驚的看著她。「妳……妳認識他？」

「美女帥哥不都是這樣嗎？很難追的。像我就拒絕了一大群的男生啊。所以，帥哥要主動追人，一定是下定決心了。」驕傲的揚高下巴，跩的咧！

楚琬琰失笑。「是、是！小美女是很容易揣測大帥哥的想法的。」咦？奇怪了，是角度問題嗎？她怎麼覺得蘇蕊某個角度看起來，還真有酈靜的影子？

「妳還沒回答我的問題呢！」小蘇蕊看向她。

「嗯？」

「那個帥哥如果追妳，妳會接受嗎？」

「啊？」話題還沒結束喔？呃欸～她很認真的在等著她的回答呢！硬著頭皮，她答道：「嗯，那個……好吧！他如果追我，我一定Say Yes！這樣可以吧？」

「君子一言，駟馬難追。」

「……」跟她秀成語。相處這段時間，楚琬琰已經不再對小蘇蕊「超齡」的言行舉止吃驚了，但還是覺得很特別！

小蘇蕊知道的中文語彙和成語不少，連英文也說得極好。五歲大的孩子……有點可怕！

「女生都怕胖。如果妳說的話沒做到，當心食言而肥。」

哇哩咧！五歲娃身體裡頭是不是躲了個大人的靈魂啊?!她對小女孩的家人更好奇了。

接下來的時間，兩人一起逛街、買衣服，吃好吃的冰淇淋……晚上楚琬琰還帶蘇蕊去逛小朋友都喜歡逛的夜市，這個沒看過、那個沒吃過，小蘇蕊對每樣東西都好好奇，從她紅撲撲的臉就看得出來她有多開心！

她帶她吃了幾樣有名的小吃，為兩人買了同款的可愛睡衣，夜市的可愛彩球髮飾比起她頭上的昂貴髮箍更吸引她……一路吃吃逛逛，到了十點半左右才回到家。

「好玩嗎？」楚琬琰好久沒這麼放鬆了，而且蘇蕊好像真的玩得很開心，她臉頰上的玫瑰紅一直沒有褪去。

「好玩！」蘇蕊才剛說完，就突然用手捂著胸口，臉上有一瞬的不適。

「蘇蕊？妳怎麼了？」

「沒、沒事。」

「……那好吧，先洗個澡，然後我再說故事給妳聽。」

蘇蕊拿好換洗的衣服，走到楚琬琰面前，「阿姨，妳幫我洗好不好？」

楚琬琰怔了下。也對，五歲的小朋友，洗頭洗澡對他們而言還是有難度的。

「……嗯，好啊。」

幫小蘇蕊洗澡時，她發現她胸前的手術疤痕。「這是……」疤不小呢！是動了什麼大手術嗎？

「這個啊……車禍留下來的。」蘇蕊有些心虛的回道。

楚琬琰沒有多想，只是輕輕的撫著那道疤。「當時一定很痛很痛吧？」

小蘇蕊笑了笑。「……早忘了。」

「勇敢的蘇蕊！」

放了滿浴缸的熱水，幫蘇蕊洗好澡後，先讓她進浴缸泡澡。蘇蕊看著那熱呼呼的水，眼睛都亮了！「咦？我可以泡嗎？」

「當然可以！」為什麼這麼問？

蘇蕊馬上一腳踩入水中，緩緩坐到浴缸裡。「嘩～好棒！」爸爸和奶媽都不許她泡澡呢！

接著換楚琬琰洗，她先洗好頭髮，再將身體打濕，準備要抹沐浴乳時，她發現蘇蕊正好奇的盯著她的身體看。雖然是同性的小女生，楚琬琰還是有些尷尬。「蘇蕊，妳在看什麼？」

「看不出來阿姨的ㄋㄟㄋㄟ這麼大！」

楚琬琰紅著臉，真想挖個地洞鑽進去，不自覺加快洗澡速度！不過這個時候如果什麼話都不說，感覺更奇怪，而且小女生顯然對她的身體很好奇，一直盯著，不行，她得找話題！「那個，平常都是誰幫妳洗澡？」

「奶媽。奶媽很胖，ㄋㄟㄋㄟ垂垂的，很像木瓜，腰上面有好多圈的肥油，好像米其林娃娃上掛了兩顆木瓜……」蘇蕊鉅細靡遺的形容著過胖，且有了相當年紀的奶媽的身材。

楚琬琰忍不住笑了，搖搖頭，小孩子的形容真是……傳神！匆忙的洗好澡，趕忙圍上大浴巾，她突然有點慶幸和小蘇蕊一起洗澡的機會不多，否則……

「……對了，爹地在家，他也會幫我洗澡！我爹地身材可好了！」

蘇蕊的爸爸？楚琬琰有一種「不祥」的預兆！她不會……也要很仔細的形容吧？

「那個……」奶媽也就算了，如果連人家的爸爸……感覺似乎不太好。

「我爹地身材好得像米開朗基羅筆下創世紀的亞當喔！」

楚琬琰神經緊繃，以為她會說出多可怕的話！還好嘛，有氣質多了！不愧是小天才，連米開朗基羅、亞當都知道。

「不過爹地沒那麼胖，腿也修長多了。」

「喔。」腦海中浮現亞當變瘦，腿變修長的畫面……唔……那身材真的不錯嘍？比較符合現代人的審美眼光。

真是！小孩子的話她也相信！她會不會想太多?!

「最重要是，他的小鳥沒那麼小。」

楚琬琰擦乾身體穿好衣服，正要走出浴室，蘇蕊的這句話差點沒讓她直接往前一摔，這小ㄚ頭還是沒忘了向她投擲威力彈！楚琬琰尷尬的清了清喉嚨後開口：「妳……妳再泡一下，我先去把頭髮吹乾。」

楚琬琰一面吹著頭髮一面想著蘇蕊的話，臉上的紅暈始終無法褪去，更要命的是，中午看了那則新聞，酈靜的身影很主動的出現在她腦海中，然後又很主動的剝個精光，多年前數個銷魂的夜晚又悄悄的在腦海中放映……

還記得，那時候她因為是酈靜未婚妻的替身，總是在他微醺，在伸手不見五指的情況下交歡，即使是這樣，她還是感覺得到他有副好身材，他修長有力的手溫柔的在她身上遊走，每到激情時，她總忍不住攀住他厚實的肩、他偏細卻有力的腰……她記得他的感覺、他的氣息、他吻她的溫柔、他在她體內的律動……以及巔峰處他低喊著別的女人名字的痛！

楚琬琰用力的甩了甩頭！她是怎麼了，不是很久很久不曾再想起這些了，久到……她以為早遺忘了，而今一想起，才驚覺，原來她什麼也沒忘！

真可笑也很可悲，對吧？

關掉吹風機，她想到要去叫蘇蕊起來了，怎知才走到浴室門口，就看她一臉痛苦的撫著胸口，蹲在門邊。「阿……阿姨……」

楚琬琰嚇了一跳，忙跑過去，抱起她。「蘇蕊?!蘇蕊！」

蘇蕊蒼白的唇動了動，說了一串數字。

「電話嗎？誰的電話？」

她嘴巴又動了動，仍發不出聲音，好不容易才吐出了一個字。「……藥……」

藥？楚琬琰趕忙跑到房間，把她小背包裡頭所有的東西都倒出來，果然看到一小瓶藥，看到藥名，她立即怔愣住。

那是心臟病患隨身常見的藥！她趕忙倒出一顆，衝回浴室門前，往她嘴裡塞。過了好一會兒，蘇蕊的呼吸總算比較正常一些，但她仍痛苦的直皺眉，楚琬琰先將她安置到床上，才拿出手機，撥打方才蘇蕊背出來的號碼。

手機在響了數聲之後才有人接，楚琬琰也不知道該怎麼向對方介紹自己，只好說：「我叫楚琬琰，是蘇蕊的朋友，她背了這支電話給我，請問，是蘇蕊的家人嗎？」

「她怎麼了？」

這聲音，好像、好像某人……她沒多想的回答。「她心臟病發，吃了藥，目前情況是穩定下來了，不過臉色還是蒼白。」

「妳們現在在哪裡？」

楚琬琰直覺回答，「我家。你要來帶她嗎？」她把住址告訴他。

「我半小時後到。」

結束電話後，楚琬琰還是怔怔然的。明明是不認識的人，只是聲音像某個人，為什麼她的心卻跳得好快好快，就像……當年有酈靜的課的日子，隨著上課鐘聲響起，隨著酈靜腳步逐漸接近而失了速的心跳……

第二章

她有病！果然有病！不但產生「幻聽」，而且有嚴重幻覺！

從結束通話後大約三十幾分鐘，果然有人來按對講機，隔著對講機她問：「蘇蕊的爸爸嗎？」應該是她爸爸吧？

「是。」

按下開門鍵沒多久，有人按了她家的電鈴。楚琬琰將門打開，但當她看到站在門口的高個兒時，平時還算得上靈活的腦袋突然一片空白，黑白分明的大眼瞠得老大，嘴巴久久闔不上，甚至連聲音也突然罷工！

「薛蕊在這裡，我應該沒有找錯家吧？」沒有「確定」的再看門牌號碼一眼，一雙單眼皮、有型鳳眼，反而緊盯著楚琬琰的臉。

「……蘇……蘇蕊在裡面。」

「不請我進去坐？」

她默默的讓出通道讓他進門！

楚琬琰腦袋還是一片慌亂，從來沒有想過，那麼多年不見……不！她以為這輩子大概不會再見面的人，居然就這樣出現在她面前，而且他還是蘇蕊的爸爸?!那麼，那麼蘇蕊是……是……她的女兒?!

天！今天大概是她這二十多年來過得最刺激的一天！

酈靜隨意打量一下這算得上寬敞，也頗有品味的空間，然後在艦灰色真皮沙發上坐了下來。「蘇蕊呢？」

「在房間，吃了藥，睡著了。」和酈靜相處曾是她最希冀的事，可現在……她卻覺得很不安，只希望他趕快離開。「你要帶她走了嗎？」

「我以為趁這個機會，我們可以好好聊聊。」

「那個……老師……老師最近好嗎？」當年的事他應該……應該不知道。只是……為什麼呢？為什麼他會把蘇蕊交給她照顧？即使曾經算熟，但那麼多年沒有聯絡，為什麼他會知道她常到收容所咖啡館……

一想到這些，她就很不安！

「還不錯，不過，我不習慣仰著頭和人說話。」

楚琬琰忙坐到他對面，雙手不安的放在膝上，下意識的扭絞著。「老師怎麼會來台灣？我……我看到新聞了，是醫學研討嗎？」

「那只是『順道』，即使沒有受邀來演講，我還是會帶蘇蕊來。」習慣性的撫著左手小指上的銀圈。

「……」楚琬琰的心狂跳，一張臉像火在燒。

「不問我為什麼嗎？」他盯著她看。

「老師……」

酈靜逕自開口，「我和前妻在四年前離婚了，原因很老掉牙，她有了喜歡的男人，更令我訝異的是，他們早有了孩子，年紀還比蘇蕊大。」

他和宋芳敏是從小訂下的娃娃親，也許是因為這樣，他一直寵著宋芳敏，把她當成未來的妻子疼愛，心裡也一直只有她一人，即使後來有不少美麗的女子向他示好，他也毫不動心。

宋芳敏和別的男人交往，除了他之外，她的家人知道，他家人也略有耳聞。沒

多久事情越鬧越大，閒言閒語也傳到他耳中，母親更生氣的說，看不出芳敏是這樣不檢點的女孩，她打算告訴宋家，當年的事就當沒發生過。

宋芳敏找他哭訴，說她一個冰清玉潔的女孩怎麼被說得這麼難堪？之後，在他心情惡劣的情況下，設局將他灌醉，醒來後，兩人光著身子躺在飯店大床上，床單上還沾有女人初經人事的證明。

發生了幾次關係後，有一天宋芳敏羞怯的告訴她，她有了他的孩子，因為極相信她，對於孩子他當然沒多加懷疑。

那段時間他辭去教職，接受國家聘請，成為醫學重點研究團隊的一員，研究幾乎榨乾他所有的時間，而且時常當空中飛人飛來飛去，到各國進行交流。

原本想說宋芳敏都有了他的孩子，不看僧面看佛面，母親對她的印象應該會好一點，可令人意外的，準婆媳倆的關係仍然緊張。

宋芳敏也說住在他家壓力好大，不得已，他只好讓她住回自己家，麻煩宋媽媽多照顧，兩人先去登記結婚，等孩子生下來後，再補辦婚禮。

一切是這麼的理所當然，一點問題也沒有。

可是從宋芳敏懷孕後，兩人不再有親密行為，若是因為懷孕初期荷爾蒙改變，也不算奇怪，待穩定後就能恢復正常吧？但一直到她把孩子生下來，轉眼間蘇蕊都兩歲了，夫妻倆還是過著有名無實的生活。

一次被拒絕，兩次、三次……久而久之，他也冷了，先不論他是個驕傲、自尊心極強的男人，這種本該你情我願的魚水之歡若強求，那就索然無味了。

楚琬琰對這樣的結局訝異不已。「離……離婚？為什麼？宋小姐……宋小姐……不，師母很愛你的。」

酈靜淡淡的說，像只是在陳述一件與自己無關的事。「某次會議臨時取消，我提早返家，沒想到竟親眼目睹我的妻子和別的男人在床上纏綿。

「她很大方的坦承，說她曾經喜歡我，可我這種冷冰冰的驕傲個性誰也受不了，而且她還說早在高中時，她就有了交往的對象，是因為家裡反對，戀情只能地下化。

「當年她會和我結婚，其實是因為當時她家經營的飯店資金缺口不小，非常需要酈家的金援，如果那時沒結成婚，我家是絕對不會幫忙的。」

外遇事件爆發出來後，宋家二老親自到酈家道歉，希望酈家能看在他們兩老的份上，原諒他家女兒，不過酈家二老只是冷眼旁觀，全權交由他自己處理。

只是他的心早就冷了，三年有名無實的夫妻關係，平常互當空氣，早該結束了！

在他毫無轉圜餘地的堅持下，一個禮拜後他們就離婚了。

宋芳敏和蘇蕊一向不親近，根本不會爭取她，這件事他沒深究，卻隱約覺得奇怪，一直到蘇蕊發生車禍，需要輸血，他才發現了一個大祕密——她是AB型！

他是A型，宋芳敏是O型，怎麼可能生出AB型的小孩?!蘇蕊是誰的孩子？他有些悲哀的想，不會連孩子都不是他的吧？

後來聽母親說，當年宋芳敏外遇的事傳得沸沸揚揚，不久就傳出她懷有身孕，之所以對她的態度還無法改變，是因為她也懷疑孩子不是兒子的，於是她偷偷替蘇蕊做了DNA親子鑑定，確定蘇蕊和酈靜父女親子關係是確立的。

那是離婚後他第一次去找宋芳敏，要她對孩子的血型做個解釋，剛開始她當然顧左右而言他，不願吐實，他只好威脅她，酈家之所以在和宋家當不成親家後仍沒撤回當年的金援，是他看在兩人青梅竹馬的情份上，如果她連這樣的事都要隱瞞，他隨時可以請父親撤回那筆錢，宋家這幾年情況雖然好轉，可一次撤出六、七十億的金額，情況還是很危險！

支支吾吾了半天，宋芳敏才把當年找代理孕母的事說了出來，她越說，酈靜的臉色越難看，可她怎樣也不願透露那個女人是誰。

至於會有代理孕母的線索，那又是另一段奇遇。

楚琬琰聽了酈靜說的話，臉色也很難看。「原來……原來她也騙了我！」

「嗯哼，她騙了妳什麼？」

「她騙我說她無法生育，她……」

宋芳敏有一次私下約她出來，很苦惱的告訴她，說她和酈靜即將結婚了，可礙於她無法生育，酈母一直阻礙他們結婚，所以他們打算找代理孕母。

她還說她打算把酈靜灌醉，讓兩人摸黑成事，酈靜雖也贊同這種做法，可不想知道對方是誰，免得日後尷尬。這些她都接受了，沒想到……

原來她不是不能生育，只是不愛酈靜！

「然後呢？」

楚琬琰愣了一下，發現自己就要脫口而出，連忙住嘴，心忍不住狂跳著，她不安的看了酈靜一眼。

「為什麼不說下去？」

「……」老師他……他到底知道了多少？

酈靜嘆了口氣，「原來打從一開始和我上床的人就不是宋芳敏，而是妳……」

楚琬琰整個臉都紅了。「老……老師。」

宋芳敏為了讓他信任她，為了破除閒言閒語，相信她是冰清玉潔的好女孩，就找暗戀他成癡的楚琬琰。

他在不知情的情況下抱了她，讓她懷孕、休學，生下蘇蕊……

當代理孕母?!想她當年不過才二十歲上下，又是來自異鄉的學子，她要承受多少壓力？休學的那一年時間，她不可能回台灣，舉目無親的壓力……天！

即使在不知情的情況……他到底造了什麼孽！

「老師，為什麼會在這個時候讓我和蘇蕊見面？」

酈靜也一直以為兩人不會再見面了，誰知道……他還是出現在她面前。「就妳看到的，蘇蕊她……有心臟病。」

「情況，情況很不好嗎？」她也有心臟的問題，只是還在吃藥就能控制的範圍。

「還好。動了兩次手術，近期要再安排一次。」

楚琬琰頓時背脊泛涼，眼眶紅了，怪不得她前胸有那些疤，小丫頭還誆她是車禍手術的疤痕。「……那、那……現在……現在……」她還那麼小就動了那麼多次刀，光用想的她都心如刀割！

「上個月是她生日，她許了三個願望。小丫頭的願望都大同小異。可能以前她奶奶告訴她聖誕老公公的故事——只要把願望寫在卡片上，放在壁爐裡，聖誕老公公就會想辦法實現。

「之後，只要她有什麼願望，就會畫在卡片上，自從她認得一些字後，就改用寫的，然後藏在壁爐裡，只要想知道小丫頭在想什麼，去那裡總會挖出一些祕密。」酈靜難得的露出了些許笑容。

楚琬琰聽著蘇蕊的日常生活點滴，心裡暖暖的，卻也酸酸的。「那麼她……許了什麼願望？」

「……她想看看媽咪，把她生下來的媽咪，想吃媽咪煮的東西、穿母女裝出門逛街、一起看卡通、一起洗澡、穿同款睡衣睡覺，想抱著媽咪入眠……她要抱著媽咪告訴她，她好愛、好愛她，她會很乖、很乖，可不可以請她不要不要她？」

楚琬琰越聽越難過，眼淚克制不住，一發不可收拾。

「知道當年的事後，我給了她一張妳的相片，她要求我送一個相框給她，每天她都會對著相片說話，分享生活點滴。動手術之前，總是不斷對著相片說話，彷彿要把想對妳說的話一次說個夠，後來我才知道，她很怕自己進了手術房後，就再也醒不過來，再也無法和妳說話。」

「……」楚琬琰哭到連話也說不出來。

這些年來她也想念女兒，可她沒有辦法見她，因為那麼做會造成別人極大的困擾，於是她只能把滿腔的母愛都投注在她的病患身上。

她一直以為蘇蕊生長在一個健全溫暖的家，沒想到這五年來發生了那麼多事。和蘇蕊同齡的小朋友再理所當然不過的事，小蘇蕊卻要把它當成一年又一年的生日願望！

酈靜說她的願望都大同小異，也就是說，在識字之前，她一次次畫著心目中的媽咪，請聖誕老公公讓她見到媽咪，但她的願望總是落空，從繪圖到能用文字表達，一次又一次……

然後她病了，終於可以見到媽咪……原來，原來蘇蕊對她並不陌生，在自己不知道的情況下，一次一次喚著她，和她分享著好多事。

怪不得她在咖啡館看到她時，一點也不覺得陌生害怕。

蘇蕊好不容易盼到可以見她，可眼前的「媽咪」卻只能叫「阿姨」，而且相處的時間也只有幾天。

一想到這，她的眼淚掉得更兇！

「媽咪、媽咪——」蘇蕊扯著嗓叫著楚琬琰，邊喊邊找，一個沒注意，差點在轉角處直接撞上楚琬琰，她嚇了一跳，噘著唇，用力的抱住楚琬琰撒嬌道：「媽咪！原來妳在這裡，幹麼不回答人家？」

和酈靜說開後，最開心的莫過於蘇蕊，因為她終於可以大大方方的叫楚琬琰媽咪，不過只能私底下，有其他人在時，她還是得叫她阿姨。

爹地說，這樣是為了避免給媽咪帶來困擾。

她不是很懂，可也隱約知道，這樣真的比較好。

楚琬琰聽見小蘇蕊嬌嫩的聲音喚著「媽咪」，雖然已經聽了好多次，她還是忍不住感動到熱淚盈眶，她蹲下身，看著小美女，「我最喜歡聽小蘇蕊叫我媽咪。」

「真拿妳沒辦法，愛哭的媽咪！」用力抱住她，親親她的臉頰。「以後妳會聽到膩！」

「傻瓜，這是不可能的。」

即使酈靜排開所有的工作，頂多也只能待在這裡一個月，再多不可能了。

一個月後他就要帶蘇蕊回美國，而她，正考慮留職停薪，畢竟請一個月的長假，又沒有特殊或正當的理由，醫院是不會准假的。

一個月後蘇蕊回美國……這句「媽咪」，就不是這麼容易可以聽到的了。

她和酈靜的關係太尷尬，如果是前妻什麼的，要探視孩子還有個正當理由，但她呢？和孩子有著最深的血緣關係，和孩子的父親也有過最親密的關係，可……她什麼都不是啊！連稱朋友都勉強！

啊，不要想不要想！要活在當下，把握現在才重要。

「妳剛才叫我做什麼？」

蘇蕊不答反問：「媽咪，妳確定妳要烤蛋糕給我吃嗎？」

「為什麼這麼問？」

「我一直聞到燒焦的味道？」

「呃……我覺得這一次應該可以成功吧。」語氣有點虛，更說不出她昨天一再的失敗後，還特地請教了于曉璐。

大師指導過的，沒道理再失敗啊～

「媽咪，妳沒有忘記吧？昨天那個叫『蛋糕』的東西烤得太焦，一直冒煙，不但觸動了大樓的警報系統，咱們家門口還圍了一群熱心的鄰居和管理員的盛況厚？」

「……」她也是生平第一次這麼丟臉的說。

小大人嘆了口氣，很老成的說：「真是拿妳沒辦法！媽咪，在我心目中妳已經夠完美了，就算不會烤蛋糕，也無損妳的完美，我覺得會煮好吃的菜才重要，三餐是每天都要吃的，蛋糕又不一定要每天吃。」

「所以？」

「妳沒有必要為了這種小事，浪費妳寶貴的時間。」

「……好像也有道理。」楚琬琰忍住笑，她們家的小蘇蕊很好玩啊！酈靜說她有將近 200 的超高智商，不必特意把她當五歲的小孩看，她也不喜歡，會覺得幼稚。「那妳說呢？接下來妳想做什麼？」

「妳晚餐多煮一些，我們和爹地一起吃飯。」

「啊？」楚琬琰有些尷尬。「那個，他很忙，我們又沒約……不好吧？而且……飯店的外賣比我做的菜好吃……」

「爹地不挑食的，而且他等一下就會過來了。」

「咦？」

「我剛剛打電話給他，他說很擔心我的狀況，要我問妳，如果不麻煩，他可不可以住到這裡？我代妳回答了，妳也這麼想。」

楚琬琰怔了一下，不可置信。「……妳這樣說？」

「是的。」

實際上的版本是，她告訴爹地說，她的心臟好像怪怪的，她知道和爹地一起住飯店，有個免費的心臟權威在身邊比較安心，可是她好喜歡和媽咪住在一塊。她爹地猶豫了一下，只問她，這樣不會造成楚小姐的困擾嗎？她回答，她問過她了。

成！事情就這樣了。

事情的順序不重要，誰假傳了什麼聖旨也不重要，反正能把自家父母湊在同一個屋簷下就好。

楚琬琰又尷尬又好笑。對於酈靜……可能因為他曾是她的老師，加上他的個性冷漠又嚴肅，她對他又敬又怕，即使喜歡他，但那又敬又怕的情緒可不曾稍減過。

「媽咪。」

「嗯？」

「妳還喜歡我爹地嗎？」以前她會一直問爹地關於媽咪的事，但爹地始終沒能給她合理的答案；問爺爺奶奶，他們也不知道該怎麼回答，之後她也不問了，也許大人的世界真的很複雜。

只是這一年來，爹地不知道從哪裡帶回來一尊木雕，那個半身木雕像一看就知道是爹地，他常常看著木雕出神，有一次他突然說，再刻骨銘心的愛情，也經不起一再錯過吧？

什麼意思？她不知道，卻隱約猜測，是不是木雕像有著什麼樣的故事？而那個故事讓爹地連看木雕時的神情都變得不一樣了。

楚琬琰嚇了一跳，沒想到她會這麼問，毫無防備下，她一陣心慌，臉紅心跳的居然不知道該怎麼回答，可有個訊息卻是再清晰不過——她沒有浮出「不喜歡」這樣的字眼，反而是像被猜中了難以啟齒的心事似的，慌了心神。

她、她是怎麼了?!

紅著臉，很笨拙的耍冷，「他曾是我的老師，我只知道我到現在還很怕他，哈哈……」

「嘖，沒誠意。」

這小孩太聰明、太古靈精怪了，真的不能和她談太多這方面的事！楚琬琰立刻轉移話題，「喏，既然妳爹地要來吃飯，我們得開始準備了吧？過來幫忙吧！唔……我記得他喜歡鳳梨蝦球，正好有鳳梨和蝦……」

說著，楚琬琰又是一怔。這麼多年……她以為早忘了……原來她這些年來所做的努力，只是阻止自己不去想，但其實根本沒有忘記過。

他喜歡吃的東西是如此，那喜歡他的心情呢？也只是壓抑住，而不是雲淡風輕的消散了嗎？

克制自己別想太多，楚琬琰深呼吸。「小蘇蕊喜歡吃什麼？今天接受點菜喲！」聲音宏亮，像是要把心中的疑雲沖散似的。

今天共煮了三菜一湯——有鳳梨蝦球、菜脯蛋、炒A菜和香菇雞湯。

蘇蕊與其說幫忙，還不如說像隻跟屁蟲似的，跟前跟後吱吱喳喳的說個沒完。楚琬琰每完成一道菜就請她先試吃，她活像是美食評論家似的，對每道菜都有講評，小大人的模樣逗得楚琬琰大樂！

完成了兩菜一湯後，最後一道炒青菜，得確定酈靜快到了才能炒，要不這種綠色蔬菜放久了，味道不好不說，顏色也會變得難看。

楚琬琰邊洗菜邊向蘇蕊說道：「蘇蕊，打電話給爹地，問他快到了沒？」因為水聲有點大，她根本沒聽到蘇蕊有沒有回答。

待她將洗好的菜切好後，轉身要再確定，卻訝異酈靜就倚在客廳通往廚房的轉角處看著她，手上還有一束漂亮的玫瑰。

他、他站在那裡多久了？

楚琬琰顯得有些不好意思，在廚房裡忙，沒有哪個女人可以像拍油品廣告、醬油廣告的那些「婦女」一樣，乾乾淨淨、清清爽爽的。「那個……請再等一下，馬上可以開飯了。」

「有沒有花瓶，我先把花插起來。」酈靜說。

「你先放著，我待會再插。」紅玫瑰？酈靜會送她紅玫瑰？這位滿腦子只有工作的天才學者，根本不會多想紅玫瑰代表的意義，大概只是不想只帶「兩串蕉」過來吧？

只是送者無意，收者多心了。她的臉還是紅了。

「等妳忙完也要跟我們一起吃飯，讓我也有點事做吧。有花瓶嗎？」

「……在客廳的小茶几上。」

酈靜走出了廚房，經過客廳時，蘇蕊正在看電視，當他走向一旁的茶几時，她突然開口叫道：「爹地。」

「嗯？」

「你襯衫的釦子有一顆沒扣。」眼睛仍盯著電視。嘖！為什麼卡通裡的小孩都六歲了，還這麼笨?!真是不可思議啊！

「……」

「爹地。」

「是。」

「這是我第一次看到你這樣心不在焉的，而且你剛剛站在那兒，另一隻手一直敲著牆，原來……和女生說話你也會緊張啊？」

「……蘇蕊。」

「我在聽。」

「妳爹地也是人。」

「媽咪讓你變成凡夫俗子了，你在『某人』面前就不會這樣。」某人，嚴格說來，是「某個」女人，一個雙面的女人，不過這個女人一點也不重要！

「……」酈靜面無表情的看了女兒一眼，搖了搖頭。有時候生一個太聰明的孩子，真的很不可愛！

「爹地。」

深呼吸。「怎麼了？」

突然又轉移話題。「我不喜歡被當病人！如果有什麼兒童可以參加的活動，我也要去參加。」在美國，她也常常參加活動。她的身體她自己很清楚。上次會突然發作，是因為玩得太瘋太累，又泡了太熱的熱水澡才會這樣。

「再說吧。」

「我當你答應了。對了，爹地喜歡吃鳳梨蝦球我都不知道呢！」

「……誰告訴妳的？」因為老媽對海鮮過敏，尤其蝦蟹類的，所以家中的廚師幾乎都不煮那些食材，記憶中他很少有機會可以吃到鳳梨蝦球，在美國除非到中國城或中式餐館用餐，要不然一般餐廳都點不到這道菜，蘇蕊應該不知道才對，說到這個，他好像從剛才就一直聞到一股懷念的味道。

「媽咪說你喜歡的，咱們晚餐就有這道菜喲！」

她知道?!對了，依稀記得……她大二時有一次還錯把一疊鳳梨蝦球的做法夾在報告中交給他。當時他以為她喜歡吃，或是準備做給男友吃的，原來……她不知從哪得知他對這道菜情有獨鍾。

他想起谷天佑曾經嘲諷過他的話──

「……嘖嘖，那丫頭成天酈靜長、酈靜短的，就算沒見過你，我也知道你的喜好，愛吃什麼、愛喝什麼。我說酈大教授，中午要不要上中式館子吃飯，叫道鳳梨蝦球配藍山咖啡啊？」

那樣壓抑著對一個人的喜歡，她不痛苦嗎？

「爹地，你不是要拿花瓶？」

「……嗯。」

第三章

蘇蕊參加了楚琬琰任職醫院所舉辦四天三夜的小小萬事通活動，帶隊的大多是醫院的醫護人員。

蘇蕊主動說要參加時，楚琬琰還很訝異，不曉得她怎麼知道有這個消息的，後來才想到，某天她的朋友打電話跟她閒聊時，她隨口問到小小萬事通的活動有多少人報名，可能是因為這樣，蘇蕊才會堅持要參加。

楚琬琰只好和鄺靜商量，由於這些活動都屬於靜態活動，而且和小朋友一起活動，的確有趣多了，加上帶隊的醫生中，有一位是她的好友，這一次的活動，好友七歲的女兒也有參加。

鄺靜聽到她這麼說，也比較放心，同意讓蘇蕊參加這個活動。

幫蘇蕊以好友的女兒名義報名，且和醫生好友陳明慧囑咐過蘇蕊的身體狀況後，小蘇蕊終於得以成行。

為什麼她不和蘇蕊一起參加？因為小蘇蕊拒絕有大人陪同，她不想被當成病人，而且那個活動，原則上家長是不陪同的。

早上楚琬琰送蘇蕊去醫院集合，晚上六點多和她通電話時，她開心的告訴她，那裡有好多遊戲好好玩，也認識了新朋友。

聽到蘇蕊這麼開心，她也很開心，只是電話掛上沒多久，她就開始想念她了，唉……她也真是的！

而且酈靜今天有個研討會，晚上好像會去聚餐，應該不會回來吃飯……

以往明明很習慣自己一個人的，但他們父女倆住進來也不過才一個星期，她竟會覺得現在一個人的時間特別難熬？

一旁插了電的香精燈微微散發著薰衣草安人心神的馨香。

傍晚的時候才吃了一塊蛋糕，現在其實還不太餓。

一個人的夜……這個時候很適合和自己乾杯！

於是她切了些乳酪和比利時烏魚子，開了瓶紅酒排遣時間……

以往空閒時，她最喜歡享受一個人的寧靜，可打從酈靜出現後，她好像變得很不習慣原本的習慣。

她喜歡有甜甜焦糖味道的瑪琪朵咖啡，但自從酈靜住到這裡後，她開始煮略帶酸味的藍山咖啡，她喜不喜歡那樣的口感好像也不重要，重要的是，那樣的味道令她愉快，那種感覺像是重拾了學生時代，每一次送報告到酈靜的研究室時的情懷。

酈靜睡在對面的客房，蘇蕊晚上和她一起睡，母女倆總有聊不完的話題，只是這樣的快樂像是少了些什麼，有幾次夜裡，她起床到廚房倒水喝，總會怔怔然的盯著客房的門看，有時他門縫還透著光，想必還未就寢……那個時候她其實可以為他溫杯熱牛奶的，可……她卻什麼也沒做。

為什麼？

怕！怕付出太多，酈靜會感覺到困擾，也怕自己和酈靜相處得越久，以往喜歡他的感覺就點滴重回……

一起喝著藍山咖啡，就想著學生時代暗戀著他的心情；吃著鳳梨蝦球，兩個人會同時笑出來，想必是想到錯把蝦球做法當成報告交出去時，酈靜給的評語。

她寶貝的對待他送她的玫瑰，每天細心剪枝、更換乾淨的水，期待花能開得持久些。為什麼？因為她得不到永遠，只能抓緊每分每秒。

甚至兩人走在一塊的時候，她會習慣性的去細數他喚她名字的次數……她喜歡他喚她的名字，好像只要他每喚一次，就能記牢一些，就像學生時代背單字，不停地反覆唸著，就算哪天真的不能再見面了，也期待他能終生不忘。

蘇蕊的問話不時會出現在她的腦海中——她還喜歡她爹地嗎？

答案如此的清楚，她就連想騙騙自己、想裝傻都沒辦法。幽幽的嘆了口氣，相隔多年，連多年未見的女兒都能再重逢，難道又要開始她的暗戀歲月嗎？

有沒有這麼悲情的人生啊?!一思及此，她將杯中物一飲而盡，又倒了一杯。

如果又要重來一遍，那種心愛的男人明明就近在咫尺，她卻完全無法接近他、無法表明心意，那樣的日子……她會發瘋！

多年前的她，和多年後的她，到底有沒有成長啊？

暗戀到得嚴重內傷，時間也不會因此同情妳就過得慢一點，何不把握機會，扮演好蘇蕊的媽咪，既然是她的媽咪，那麼和爹地互動親密，也是很正常的吧？

管他有沒有「假公濟私」的嫌疑，這年頭，女生只要看上了哪個男人，就算用搶的都要搶到手，更何況她只是沒把送上門的好運往外推而已！

就當是給自己機會吧！

保不保持距離，互動冷淡或親密，反正一個月後，酈靜都要回美國，如果這一個月中，她和他有所進展，那當然最好，但如果酈靜還是不喜歡她，一切就宣告結束，她也可以真正死心了……

她老是說要活在當下，既然要活在當下，有好事就要及時行樂，不是嗎？她何必想那麼多、考慮那麼多，然後到成為老太婆時才在回憶中扼腕？

沒錯！就是要及時行樂，人生才不會留下太多遺憾！

她這輩子有太多太多的遺憾是因為酈靜，如今，她有一個月左右的時間可以彌補曾經錯過的、得不到的，她為什麼不好好利用？

才這麼想，她忽然覺得這星期以來的苦悶彷彿都得到了抒發，她又倒了杯酒，高舉酒杯，為自己乾杯。

突地，原本獨自一人的安靜空間裡，傳來有人用鑰匙開門的聲音。

是酈靜回來了，他有備用鑰匙！楚琬琰馬上起身到門口迎接。

酈靜打開門的同時，屋裡的燈突然全滅，他隱約有看到門內有人，但邁開的步伐卻煞不住，兩人撞成一堆。

楚琬琰忍不住發出撞疼的悶哼。

酈靜撐起身子。「琬琰？還好嗎？」

「……嗯……還……還好。」

「怎麼會突然沒電？」

「……對了，今天有停電通知……我忘了看時間。」以往例行性維修停電通常都在白天，她也沒多加注意。

酈靜摸黑站了起來，順道拉起她，感覺她步伐有點不穩，他便用一手托住她的腰。「有手電筒嗎？」

大樓照明只剩外面走道上的緊急照明，但那燈光過於微弱，楚琬琰住的公寓又距離比較遠，所以房內仍是一片漆黑。

黑暗中，酈靜身上好聞的檸檬薄荷味道有幾分誘惑人，楚琬琰壯起膽，將手攀上他的後頸，彼此體溫熨烙著，兩副身軀貼近。

「琬琰？」他嗅到她身上有淡淡的酒味，不自覺的皺眉。

才這麼想，有隻不安份的手隨即撫上他的臉，拂過他的唇、臉頰，然後在他兩道英氣濃黑的眉宇間逗留。

楚琬琰的聲音輕輕的，有些笑意。「呵，果然又皺起來了。酈教授討厭人家喝酒，總是冷著臉，義正辭嚴的說：『當醫生的要有自制力，耽於酒精的人，這條路走不長久！』」

即使在黑暗中她看不清他的臉，仍知道他會有什麼反應、什麼表情嗎？酈靜的心情由訝異轉為理解，臉部線條慢慢變得柔緩。

谷天佑的話一次又一次迴盪在耳邊——

楚琬琰為他做過的事，在她離開美國後，經由谷大師花了近七百個日子陳述。說來他和谷天佑的相遇也很有趣，源自於大師難得答應某大企業大老贊助的個展中的一個作品。

大師每天說的每句話都是一條線，直的、橫的、有角度的……在不知不覺中，細細的線交錯成密密麻麻的網，網住了他的心，讓他再也掙脫不出了。

他何德何能，在不知情的情況下，被一個如此美好的女子用她最青春、最瑰麗的歲月如此珍視、如此戀慕。

他是她如此癡戀過的人，她又怎麼可能不知道在什麼情況、聽到什麼話，他會有什麼反應，只是，那段日子距今也有好些年了，她仍記得?!記得他的習慣、他的喜好，甚至他的細微反應?!

是因為曾經愛得太深忘不了，抑或……那個「曾經」從來就沒有成為曾經過？

酈靜拉下她的手，不免猜想會不會是他自己太自作多情了？

楚琬琰的臉仍貼在他的胸口。「喝了點酒，有點站不穩。」喝酒是真的，用來壯膽也是真的，只是，站不穩？呿，就算現在她頭上頂了本書，她都還能走直線。

「心情不好？」因為他們父女的出現，擾亂了她原本平靜的生活？

「才不是呢！我只有在考慮事情，或猶豫不決時才會喝一點。」她笑，「你真是太不了解我了。」

「的確。」

「沒關係，我給你機會慢慢了解我。」

酈靜扶著楚琬琰，朝著印象中沙發的位置慢慢前進，還得小心不要被其他東西絆倒，好不容易摸到沙發，他正準備讓楚琬琰坐下來時，也不知道腳踢到了什麼，腳步一個不穩，兩個人一起摔進沙發，同時發出低呼……

是錯覺嗎？酈靜怔了一下。他的唇好像被什麼碰了一下，那柔軟的觸感很像……楚琬琰的唇……是因為在黑暗中，眼睛看不清楚，所以想像力變得特別好嗎？

他連忙清了清喉嚨，不讓自己再胡思亂想。「琬琰，我沒壓傷妳吧？」

「沒，那個……蠟燭，我去拿蠟燭。」為了掩飾自己的羞怯，她馬上翻下沙發，藉口要去找蠟燭，手電筒在上次颱風時就已經鞠躬盡瘁了，還沒補新貨。

她的臉燙得像發高燒，像她這樣的人，果然不適合當「小偷」！明明在黑暗中揩油可以揩得很理所當然，再過火的「偷竊」行為也可以推說是因為太暗沒看清楚，不小心碰到的……

可是，明明她還有機會再「進攻」，但不知為何就是不敢，唉，她果然有色無膽……

雖然是在自個兒家，但摸黑前進，免不了還是會撞到東西，不過幸好還能順利前進，沒多久，便找出蠟燭，只是她的蠟燭是玫瑰造型的精油蠟燭，那是她平常在疲憊或焦慮時，替自己舒壓用的。

她又摸到一個雙層透明花型玻璃盆，裝入半盆的水，點上兩朵香精蠟燭，水波掩映著燭光，一室的黑暗總算出現「曙光」，接著她便抱著玻璃盆走回客廳。

鄺靜看著她手上的蠟燭。「妳的蠟燭很華麗。」

楚琬琰笑了。「抱歉，我這裡只有這種的。很賞心悅目吧？」

「燭光在黑暗中不都一樣?這種不持久吧?」

楚琬琰失笑。男人永遠不會懂女人的衣服為什麼總是少一件，為什麼對珠寶愛不釋手，當然，他們也不會明白，為什麼一些可愛、造型美麗的東西總是讓女人們趨之若鶩。

「是啊，不過，你不會希望這次停電會停一整夜吧?如果真是這樣，那我以後會記得買拜拜用的大壽燭，三十斤的，聽說可以點個把個月。」說完，她馬上帶著惡作劇的笑容看著酈靜，本以為他又要皺眉了，怎知他只是靜靜的凝視著她，她不免有些尷尬。「那個……你在看什麼?」

「我一直以為妳是個文靜的女生，現在才發覺妳其實滿活潑的。」

楚琬琰倏地臉紅。「我一直都是這樣的啊，孩子王一個。」

「又有新的發現，妳很適合當小兒科醫生。」他撫著尾戒思索。

「是啊，名正言順的當孩子王。」她看著他撫著尾戒的動作。「之前就想說，你手上的尾戒很特別。」

「一個朋友送的。」那個朋友……她也熟。這戒指還有名字，一個很有意義，可不見得能「成真」的名字。

「好看，很適合你。」

鄺靜取下尾戒，遞給她。「戴戴看。」

楚琬琰拿過別緻的白金戒指往小指套，空空鬆鬆的，她失笑。「……太大了。」如果是中指……就剛好吧？輕嘆了口氣將戒指還了回去。

鄺靜收回了視線，看著微微搖晃的燭影。「剛才妳說，只有在猶豫不決、考慮事情的時候才會喝酒，我有點好奇，在一身的酒味後，妳決定了什麼？」

決定了什麼？

唔……這是個好問題！問題是，有些事情雖然決定好了，但還是比較適合只有自己知道吧？例如：決定去行竊、決定離家出走、決定和爛男人分手……以及，決定要去擁有一個男人，即使只有一個月都好！

燭光的亮度足夠明顯照出兩人的表情，讓她沒辦法打馬虎眼，她支支吾吾了半天，剛剛她是真的挺有決心的，甚至也表現了相當的勇氣去……揩油。

但真要她說出口？她心臟不夠強。

啊，是燭光太亮了，一定是這樣！

鄺靜等著她的答案。「怎麼不說話？當然，如果是妳的私事，妳可以選擇不說，但如果是關於我或蘇蕊，我希望我能知道。」

楚琬琰看了酈靜一眼，又連忙低下頭。兩人之間的氣氛頓時變得有些緊張，她習慣性的又玩起自己的手，玩起了常常騙小朋友的手影遊戲。

將左手除了拇指外的四指打直，右手四指握在左手虎口的位置，兩手的拇指交叉著，然後左手小指上下移動，從牆上的影子看來，就像隻吠人的小狗。「小狗、鴿子、兔子……手影很好玩，這種小遊戲，讓一些腦袋轉得快的編劇，把原理運用在電影上，正在跳舞的男女主角，女主角像這樣湊近……」她指著牆上的影子。

酈靜直覺的看向牆上的人影，楚琬琰趁機湊向他，此時牆上的男影被吻了一下，他嚇了一跳，尷尬的往一旁挪了挪。

他的反應讓她忍不住失笑，卻也在心中重重嘆息，有些受傷和惱火。「你的反應和電影中的男主角好像，唯一不同的是……電影中的男主角是喜歡女主角的，被『竊吻』後，他其實是開心的，而你……」不知道突然打哪來的勇氣，她將手伸入水盆，舀起一些水，灑向蠟燭，滅了燭光。

「琬琰？」感覺到她氣息的接近，淡淡的酒氣、淺淺的屬於女性的幽香。

「……你方才不是問我問題？現在我可以回答你——那是我的私事沒錯，可是是關於你的。」

「我聽。」

他肯聽，那麼她要說什麼呢？

楚琬琰摸索著他的臉，直到撫摸到他的唇，她便精準的吻住，輕啄淺吻。「這是我很多年前就想做的事，多年後再見面，我還是想這麼做，你會怕嗎？」

「……怕什麼？」他的聲音沙啞，氣息有些不穩。

「怕被我纏上、怕被我的視線追隨著……怕——被我戀慕著。」為什麼說這些話時，她會這麼激動、這麼心酸？「如果……如果真的有聖誕老人，寫下心願放在壁爐裡，就可以成真，我倒是想試著寫下願望。」

「妳想許什麼願？」

「我想被你擁抱，緊緊、緊緊的擁抱著，在你明明知道懷中抱著的是個叫楚琬琰的女人，仍不會放手。這是我一直想做的……」楚琬琰壓抑著心情，不讓聲音透出太多的悲哀。

下一刻，她馬上被納入一個溫暖的懷抱裡。

多年前黑暗中的擁抱，楚琬琰一直是另一個女人的替身，她在與深愛的男人歡愛時，卻要聽男人溫柔的低喚別的女人的名字，那種痛……有好幾次讓她是紅著眼、蓄著淚，和酈靜溫存的。

酈靜輕吻著她，他捧著她的臉，溫柔的吻著她的眉心、鼻尖、軟嫩的紅唇，一路而下……

「你懷中的女人是誰？」

「楚琬琰。」

楚琬琰問不出口他愛不愛她，總不可能多年前不愛，多年後突然愛上，多愚蠢的問題！算了，只要她還愛他就夠了，她不要後悔，要緊抓住每個能被需要、被擁抱的機會。

事實上，酈靜也沒給她多少時間亂想，因為他的動作越來越大膽、越來越縱情！

黑暗中，在細細的喘息聲中，衣服無聲的落地，彼此身上的衣服越來越少，終至祖裎相對……

昂貴的真皮沙發躺椅承受著兩人的重量深陷，隨著歡愉的臨界點即將到來，節奏趨於野蠻快速，濃重的喘息聲不時伴隨著銷魂難耐的嬌吟聲，或高或低，直至激昂放縱。

晚上將近十點，大城市的街道上依舊車水馬龍，收容所咖啡館裡也還是人聲鼎沸。

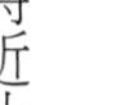

每當正忙碌時，楚琬琰就會充當跑堂兼點餐小妹，等到忙得差不多了，她就會回到櫃台後的小儲藏室，享受VIP的待遇。

說儲藏室那也是很久以前了啦，打從咖啡館老闆娘京德大美人找到真命天子樂訢喬之後，阿娜答待過的地方，哪能不好好整理？

隨著樂訢喬身份的不同，由「疑似遊民」進階到正式員工，然後再進階為老闆的阿娜答後，小儲藏室也進階到員工「宿舍」，然後再美化裝潢成為「VIP包廂」。

跑腿送完東西後，後頭已經準備好一杯焦糖瑪琪朵和一塊她愛吃的「小鹿牌」蛋糕在等她了，坐下來啜了口瑪琪朵。「好喝！不過……」

「嗯？」咖啡是京德親手煮的，她可是個完美主義者，對出自自己手中的咖啡可是用超高標準在看待，容不下任何瑕疵。

「我最近都喝藍山咖啡，而且不加奶、不加糖。」人果然是習慣的奴隸。

京德有點訝異。這是曾經說過，少了糖和奶的黑咖啡，像是品嚐苦澀回憶，除了苦還是苦的楚琬琰？京德若有所思的打量著她。

「怎麼這樣看人家？」楚琬琰笑，心裡卻莫名的緊張起來。

「我去美國的這段時間一定發生了什麼事，對不對？」這個月月初她和未婚夫去了趟美國，向他住在美國的雙親報備兩個月後結婚的事宜，這短短不到十天的時間，發生了什麼事嗎？

嗯，怪不得看到楚琬琰時，覺得她好像有什麼地方不一樣了，這樣想來……是很不一樣。

楚琬琰天生就是個美人胚子，可都二十六、七了，還是覺得她太孩子氣，八成是因為成天和小朋友處在一起的關係，可這回，是錯覺嗎？她眉宇間、眼波顧盼流轉之際，整個人意外變得嫵媚嬌柔。

京德像是想通什麼似的。「琬琰，妳是不是談戀愛了？」

一語命中，楚琬琰躲都沒得躲，小臉倏地爆紅。「妳妳妳……」

「對象是誰？盛大少？」

「睿云……」她欲言又止。一想到認真的盛睿云，楚琬琰的羞意斂起了幾分。

「我們這回到美國，在某個知名飯店用餐有遇到他喔！他啊，還是標準的工作狂，吃飯不忘工作，和他一起用餐的那些部屬，八成人人一瓶胃藥，」訢喬說，翔達的幾個大案子幾乎都是盛睿云在主導，接班意味濃厚。」有趣的盯著她，忍不住逗逗她，「喂，未來的翔達總裁夫人。」她們一直覺得盛睿云喜歡楚琬琰，只是她從不承認，更遑論交往。

「……」

「這回在美國見到他，一直到我們要離開了，他才問起妳，我虧他，每天熱線還不夠，那就玩視訊啊，但他只是笑笑，沒說什麼。」

「他去美國之後，我們完全沒有聯絡。」

「……為什麼？」

楚琬琰深呼吸。「京德，他是個不錯的對象，可是……我心裡已經有其他人了，有一個……我好喜歡、好喜歡，喜歡了好多年的人。」

有這樣一號人物嗎？話說她認識楚琬琰也好些年了，她忽然想到一個可能的人物。

「妳說妳在學生時代暗戀的那個老師？」她曾聽她提過一些當年的事。

「……嗯。」

聽說是個天才！年紀輕輕就已經是醫學院教授。「他……你們見面了？」

「嗯。」

天！她不在的時候果然發生不少事！「你們在交往？」

「……可能吧。」她回答的心虛。如果一對男女以上不上床作為是否交往的依據，那麼，是的，他和酈靜正在交往。

那一夜藉著些許酒意壯膽，她不但向他告白，甚至……勾引了他，激情如野火蔓延，沙發上、地毯上、客房大床都留有兩人激情纏綿的痕跡。他回應著她的熱情，還主動挑逗她，可他從沒說過對她的感覺，更不用說男女交往時的關鍵字語。

要問嗎？你喜歡我嗎？有了親密關係後，是不是也意味著兩人開始交往了？這樣的話她問不出口。很奇怪，有點本末倒置，也有點……威脅和強迫的味道——因為我們已經怎樣怎樣，所以你必須怎麼做！

光是想她都覺得無力。又不是以前民風保守的年代，也不是十多歲的小女生，更何況男歡女愛，你情我願，拿來脅迫人實在太不道德了。

她很想瀟灑的假裝不在乎，但可笑的是，她一點也瀟灑不起來，因為太在乎，她無法不當一回事，她只能兀自煩惱著，卻也無計可施。

目前的她只能一再的催眠自己，一開始她就知道兩人的關係不見得長久，她只是不想後悔，既然是這樣，就不要再問他喜不喜歡她這種問題了！

「那盛睿云呢？」

楚琬琰不自覺嘆了口氣。「我們從來沒有交往過，他出發去美國前要我好好考慮，這一次他回國……我會拒絕他。」

明明就不干自己的事，京德卻覺得可惜，也許，是因為好友放棄這樣一個好對象而惋惜吧？可感情的事，是勉強不來的，更何況，她沒有見過楚琬琰喜歡的人，那個人能在這麼多年後還讓她念念不忘，想必有過人之處。

遐齡端了一盤于曉璐早些時候送過來的草莓進來，看了一眼楚琬琰，「妳今天終於出現了，我以為妳騙走人家小孩後，就人間蒸發了哩！」這女人以往去上班前，一定會到咖啡館混點時間，才甘心上工，可現在不同了，足足有十來天不見人影。

她這話倒提醒了京德。「對厚，那個不敢署名，硬把女兒塞給妳的男人，後來出現了嗎？」她出國前一天發生的事，她居然忘了問。

「……出現了。」

「是誰？是哪個惡作劇的男人?!」

「就……老朋友的小孩？」

遐齡看了她一眼，直覺事情沒這麼簡單。「老朋友？這年頭越模糊不清、模稜兩可的回答，通常越有問題！不會就是老情人的孩子吧？」

遐齡異於常人的靈敏「嗅覺」，倒是給了京德靈感，楚琬琰不是才說她最近和當年的暗戀對象見面了嗎，難道……「妳說的老朋友該不會就是當年妳暗戀的對象吧？」

楚琬琰緊張的直嚥口水。「……」

遐齡直盯著她瞧。「老朋友的小孩，所謂的『老朋友』又是妳當年暗戀對象，那孩子長得和妳又超像的，莫非……」

京德的眼睛瞪得老大，可……不可能吧？「既然是暗戀，就表示對方不知道琬琰對他的感情，孩子不可能會是琬琰的啦！」

「妳怎麼知道不可能？對方不知道楚醫生的感情，並不妨礙兩人上床，這年頭多的是沒感情也能上床的男女。」

「遐齡妳好邪惡喔！」京德笑打了她一下。「即使是這樣，那孩子也是跟著媽，不會由老爸帶著出現吧？」兩人如入無人之境般討論著，真正的「主角」反而被晾在一邊。

「也許楚琬琰當時年紀小，沒想到上床會懷孕，生完孩子就把孩子往男人家門口送。」

京德馬上吐槽，「我不能接受！這年頭，還有人這麼沒知識嗎？更何況，琬琰那時也有二十了吧，而且她還是醫學院的學生欸，她會不知道上床要戴套嗎？」

「這世上沒有百分之百的避孕法，妳即使把所知道的避孕方式全用上，送子娘娘堅持將貨送出，絕對使『命』必達！」

「我還是不能接受！現代科技會鬥輸傳說中的神？」

「不能因為她是傳說，就認為她不存在！」

吱吱喳喳……吱吱喳喳……

楚琬琰聽得頭好痛！這樣的對話應該只會出現少根筋的于曉璐身上吧？怎麼今天本尊不在，反而是京德和遐齡于曉璐上身了呢？「那個……孩子是我的。」

原本話題像接龍一樣沒完沒了，話題完全沒重點的兩人，耳朵頓時發揮了作用，同時望向楚琬琰，異口同聲的問：「妳說什麼？」

「那個孩子——蘇蕊，是我女兒，她的爸爸……是我唸醫學院時的教授，我暗戀的那個人沒錯。」

「妳、妳、妳不是暗戀而已嗎？妳搞不倫啊？」

「人家不是有未婚妻了？還是那個男人其實知道妳暗戀她，利用妳迷戀崇拜他的心，把妳拐上床？」就她知道的楚琬琰，應該不是那種會介入人家感情的第三者，她很潔身自愛的。

「……利用我迷戀崇拜老師心情的人不是老師，是老師的未婚妻。」她也是最近才知道她被利用了，原來宋芳敏一直都在騙她。

女人最了解女人，宋芳敏見過她幾次，可能從什麼地方看出她迷戀酈靜吧，才會決定找她當代理孕母。

「咦？」更勁爆了！

既然都起了頭，楚琬琰只好全盤托出。「老師一直都不知情，直到師母外遇，兩人離了婚，小蘇蕊有一次發生車禍需要輸血，他才知道蘇蕊的媽咪另有其人。」

京德老是覺得哪裡怪，忽然間，她倒抽了口氣。「借……借腹生子？」

楚琬琰苦笑。「是代理孕母，不，也許該說是『替身』吧！」楚琬琰第一次這麼仔細的對好友們敘述當年的那一段情事，那段淚水比笑容多太多的歲月。

小蘇蕊兩天前參加活動回來了，和陳明慧醫生的女兒成為好朋友，成天吵著要去人家家住，上次她在廚房裡忙，有人來訪，蘇蕊問明是誰後就開了門，沒想到來訪的人竟然是——她老媽?!

噢！天哪！她家老媽什麼時候不來，為什麼偏要挑這個時候來！

完了！小蘇蕊和她真的很像，不知道她未婚生子的人也就算了，可老媽……當年的事，她大概知道個六、七分，果然！老媽看她的眼神……似乎已經看出什麼了！

楚琬琰不敢看她，笑得尷尬。「……媽，妳怎麼來了?」然後她發現大門沒帶上，正打算走過去把門關好時，看到外頭還站了一個門神，喔不，是她老爸——知道她曾休學一年，疑似未婚生子，氣到多年不來往的老爸。

楚琬琰嚇到不自覺倒抽了口冷氣，一句話也說不出來。

楚定風雖然黑著一張臉，可是很難不注意到那個走向他、用著好奇眼神望著他，然後笑得甜蜜的小女孩，一老一少一陣對峙後……

「爺爺……」小女孩甜甜的聲音像蜜糖一樣，可愛的朝著老人家直笑。

楚定風頰肉微顫，像是想笑但又拉不下臉，ㄍㄧㄥ著不肯笑。

「爺爺～抱。」基本上蘇蕊其實不喜歡這種小孩子式的撒嬌法，可大人都吃這一套，聰明如她，當然知道什麼時候該假裝一下，乖乖的當個平凡的小孩。

老男人頓時兵敗如山倒，小美女大獲全勝。

這麼一抱，嚴肅名醫楚定風隨即紅了眼眶，一張冷硬臭臉再也端不住。

退休的名醫夫妻在楚琬琰家待了不到一個小時，就用一堆「附帶優惠」把蘇蕊拐去別墅住。

楚琬琰想了想，若沒見著也就算了，既然見到面，爸媽會有這樣的要求不過份。

只不過現在，家裡又剩她和酈靜了。

第四章

接連十幾場的醫學院邀聘演說，酈靜每次演說結束，和教授、學生們交流完，其實就想離開了，因為可想而知，接下來一定會安排一些有的沒的應酬。

如果可以，他寧可把那些時間拿來自由運用，好比說和楚琬琰喝杯咖啡、聊聊天，或著什麼都不做，只是在家依靠著彼此閱讀，甚至依偎的睡個覺都好。

總之，他喜歡有她陪伴的每一件事。

只是不是每個應酬都推得掉，他也明白，醫學的發展和研究推廣，沒有企業金援和政治立法，就算個人的能力再好，也沒辦法做到，所以他還是會選擇性的參加一些應酬。

他出身於一個企業世家，大哥是準接班人，而他只對醫學有興趣，幾次差點鬧家庭革命後，家族才放人，不過對於出於這樣的家庭，他也必須有自己的使命，將來還是得接下家族的紀念醫院或生化科技類的相關產業。

因為生長環境的關係，對這些應酬他並不陌生。

只是比起這種衣香鬢影、杯觥交錯的場合……他卻開始想念起楚琬琰。

他喜歡她的視線老是追著他，被他逮到了，一張臉馬上變得通紅的可愛模樣！

他喜歡她小心翼翼、極為珍惜的取出一只鎖在衣櫃暗櫃，她在美國唸醫學院時的考卷和報告，撒嬌要他提高分數的無理取鬧！

他喜歡寒流來襲時，她窩在他身邊取暖，邊發出滿足的輕嘆，然後又有點不滿，直抱怨著為什麼他身體這麼暖和，而她卻老是四肢冰冷?!當然那樣的抱怨很快就會不見，因為他很快就會用彼此熟知的「方法」，讓兩個人都溫暖起來……

對她，他有太多太多的喜歡，而且完全不介意讓這種喜歡的感覺越來越加深，他甚至願意把她寵上天……

想著想著，他冷俊的臉上微微露出笑意，突地，他的手機傳來簡訊的提示聲，他拿出手機一看——

親愛的：

想我嗎？

和你在同一個國度裡，看著同一片星空，好像連空氣都變得甜蜜。

愛你的人

以為是什麼人傳錯簡訊，可當他查看號碼時，飛揚的濃眉隨即皺了起來。

這個號碼不陌生，只是……他以為好長一段時間沒被騷擾，她應該不會再來煩他了，沒想到……

這女人，真是夠了！他不悅地直接將簡訊刪除。

「酈教授。」

有人過來打招呼，他立刻收斂情緒，頷首回禮。

是今天演講的那所私立醫學院的吳董事，他身邊還跟了一些朋友，這位董事很喜歡交朋友，當然也樂意把朋友介紹給其他人認識。

一陣介紹寒暄後，一名有電子科技背景，近年來有意投資生化科技這塊大餅的大老闆說：「聽說酈先生這次會在台灣停留一段時間，有沒有特別安排什麼行程？」鄺靜這回是受醫界邀請演講，他有幾項醫學專利他一直很有興趣，只是要和鄺靜搭上線真的不容易，他得好好把握這個機會。

「私人行程居多。」

通常提到「私人」，就表示涉及隱私，這些見過世面的大老闆當然懂得分寸，只是大老闆對賺錢更有興趣，不可能輕易放過這得來不易的機會。

「既然是私人行程，當然不便打擾，只是不曉得你這次下榻哪家飯店？找個時間也讓我當個東道主，大家聊聊。」盛明峰話說得客氣，實際上卻相當強勢，表示你的私人行程我尊重，既然你沒時間見我，我親自到你住的地方見你，算是給足面子了吧？

吳董事笑著搭腔，「學會安排的五星級大飯店還留不住他哩，他目前是住在一個老朋友家。」

「老朋友？」

「是以前在哈佛醫學院教過的學生吧？」一提到哈佛醫學院，吳董事看盛明峰的模樣變得有趣，有些半開玩笑的說：「明峰啊，睿云的女友也是哈佛醫學院畢業的吧？」

「欸，那小子……感情就像團謎，到他跟我報告要娶哪家小姐前，我都不知道真正情況。」

「我有個朋友的女兒說，之前睿云生日時向楚小姐告白了，楚小姐沒反對。」哈佛醫學院畢業，又姓楚？酈靜的心跳，頓時變得有點快。

「哈哈……看來你的消息都比我靈通。」瞧好友得意的樣子，看來對女方的印象也不錯。「聽說楚小姐的雙親也都是醫生，算得上醫生世家，之前在宴會上見過楚小姐幾次，大家都在傳說她可能會是盛家未來的媳婦，我多看了兩眼，果真是個漂亮有禮的小姐呢！」

「呵呵……琬琰那孩子，我和妻子都喜歡。」盛明峰隨後又補充，「不過睿云還沒跟我提過，這事還不算數。」

忽然，一旁奇怪而刺耳的聲音讓幾個老人回過頭，個個瞠目結舌，不知道眼前這事是怎麼發生的，酈靜手裡怎麼會握著一個碎杯子，而且鮮血直流。

「酈……酈教授?!」

「怎麼手上都是血?!」

「快！快包紮！」

現場頓時一陣騷動。

這廂，楚琬琰離開收容所咖啡館，正驅車回家，經過一家連鎖超商時，她想起蘇蕊去外公外婆家前，還一直跟她耳提面命，要記得幫她集點換布偶熊。

小女孩還是小女孩，再天才還是個小女生。

也不知道這種小熊有什麼魅力，她跑了好幾家超商都已經兌換完了，希望這家不會讓她又撲了個空。

停好車子後，她走進超商，此時店裡客人不多，除了一名正在結帳的男人，就只有她和另一名穿著時尚，正在選購東西的美麗女人。

楚琬琰拿著集點卡走向櫃台，向工讀生兌換布偶熊，但她得到的回答仍舊令人失望。

她本想直接回家，但突然想到家裡的鮮奶快沒了，她便越過那名女人，走向冰箱。

不過，當她經過那個女人身邊時，突然聞到一股再熟悉不過的檸檬薄荷香味，這樣的味道，其實有點偏男性，只是這款香水很淡，有不少女生也喜歡它的淡雅、個性。

她怎麼會知道得這麼詳細？難不成她也是愛好者？才不！是因為酈靜也是用這款香水的。

楚琬琰不由得多看了女人一眼——

高領黑毛衣，外罩灰兔毛飛鼠袖大翻領厚針織長衫，搭配一條黑色內搭褲，腰上別著一條別緻的銀色腰鍊，這個女人相當高，可仍踩著七、八公分高的長筒馬靴，長得不錯，穿著也很有品味！

拿好牛奶轉過身，楚琬琰沒想到身後有站人，直接撞了上去，撞掉了女人手中的東西，她嚇了一跳，「對不起、對不起！我不知道後頭有人……」她一邊道歉，一邊幫忙撿東西，這個女人買了許多零食、生菜沙拉，還有……驗孕棒?!她怔了一下，趕忙把東西歸還。「不好意思，妳沒受傷吧？」

「沒有，不好意思的是我。」女人默默的收下楚琬琰遞來的東西。

楚琬琰又點了點頭，才到櫃台結帳，還忍不住擔心，如果那個女人真的懷孕了，剛剛那一撞……沒事吧？想到她剛懷小蘇蕊時，不過就是下樓梯跑得太快就動了胎氣，而這女的……那一撞力道不小呢！

良心不安！

她在結完帳後隨便撕了張便條紙，寫下某個人的名字和電話，走向那個女人。

「小姐，這是我認識的婦產科醫生，是女的，人很好，剛剛撞到妳我很不放心，妳可以去找她檢查一下，就說是楚琬琰介紹妳去的。」對了，她只寫莊醫生的名字，忘了寫自己的，於是她又拿回紙條，補上自己的聯絡方式和姓名。

女人怔了一下，笑了。「我想沒事的，不過，還是謝謝妳，台灣人果然都很和善。」

台灣人？對了，她的國語有個腔調，她是ABC，還是日裔？「咦？小姐是哪裡人？」

「我是日裔美國人，我叫水谷明美，是第一次來這裡。」

「來旅遊嗎？」

「……我是和男友一起來的，他受邀來演講，就讓我跟來。」

「這樣啊……」忽然，楚琬琰的手機大響，她連忙對女子頷首，快步朝門口走去。「喂？酈靜……嗯，怎麼會這樣？我知道了……」

掛上電話，楚琬琰的臉色異常難看，匆匆忙忙的往車子走去，壓根沒注意到那個女人在聽到她說到「酈靜」兩個字時，抬起頭緊盯著她。

傷口不大，只是清創手術還是花了點時間，尤其在楚琬琰堅持下，還是替酈靜安排了一堆精密檢查，畢竟身為醫生，尤其是要進手術室為病患動刀的醫生，那雙手比什麼都重要。

因為楚琬琰就坐在手術室外，經過的醫護人員很好奇，紛紛尋問，是誰在動手術？

她統一的官方回答就是——朋友。

她和酈靜……她的態度很清楚，就算告白了，可在酈靜口頭承認前，她也只能這樣回答，談感情是兩個人的事，一方不承認就不算交往。

十分鐘過去了，楚琬琰有些著急，可也只能等，忽然有個人走過她面前，又走了回來。「琬琰，妳怎麼會在這裡？」

楚琬琰茫茫然的抬頭。「淑倩？」

莊淑倩在她身邊的位置坐了下來，說道：「巡完房正要下班，在護理站聽說咱們醫院來了個天才名醫，不過這回不是來演講，而是來就醫的。」抬頭看向手術室

外掛著的名牌「酈×」，那應該就是酈靜了。「咦？妳和酈教授認識嗎？」

「她是我唸醫學院時的教授。」

「對喔，他曾經在哈佛待過。」只是……教授啊？看楚琬琰焦慮的神情，正在進行手術的不像是她的教授，而是像家人，甚至是……情人。「酈靜在醫學院教書時，想必迷倒很多女學生吧？」楚琬琰臉色發白，手還微微的顫抖著，身為好友的莊淑倩想幫忙轉移她的注意力。

酈靜受邀演講，起初並沒有自家醫院這一場，是後來院長看他到其他教學醫院演講，盛況空前，甚至還上了媒體，這才涎著老臉和主辦單位敲了好久，一開始人家根本不理他，但不曉得後來酈靜怎麼又會答應。

隔天演溝，今天下午才貼的海報，原以為酈靜旋風大概吹不進本院，哪知……那場演講還是爆滿。

了不起的是因為關於專業領域，酈靜的演講中仍有不少部份是用德文解說，連她聽了都有些吃力，沒想到卻有不少護士出席，擺明了醉翁之意不在酒嘛！

可若因此就說那場演講的最大賣點是酈靜那張臉，可就大錯特錯，整場演講高潮迭起，深入淺出，沒有厚實的醫學基礎，加上自己的見解，是無法如此靈活運用的，這是她第一次感受到，原來枯燥無味的醫學專業講座，也可以如此精采！

還記得演講結束時，他們這些號稱知識份子，驕傲、不輕易讚美人的醫生、教授們，抱以熱烈的掌聲長達將近兩分鐘之久，年輕熱血的醫生甚至還激動的起立鼓掌。

是天才，又是花美男，怪不得一群女生趨之若鶩。

「是啊，大一時很多女同學好迷他，不過……一個學期不到，全由愛慕轉為畏懼。」單純的楚琬琰，馬上被轉移了注意力。

當年的回憶無論過了多久，對她而言，都清晰得像才剛發生過。「剛進醫學院時，學姊就擺出一副過來人的姿態，語重心長的教誨我們：當王子出現時，不要迷惑於他那張好看到人神共憤的臉，請分神注意他手中的寶劍。」

莊淑倩笑了出來。「他當得很兇？」

「嗯，他的那門課是必修，他對學生的要求……很特別！開學第一堂課，他就說過，如果你對自己很有自信，可以不必來上我的課，我從來不點名，一學期我考三次試，不會突然抽考，我會把確切的日期公佈在系版，不必擔心我會『暗算』你們，而這三次的考試成績，你們可以任選兩次最高分出來平均，作為考試成績，所

以，更自信、更有把握的人，甚至可以只來考兩次。」

「哇，這麼開明的教授？」

「是啊，因為大家都以為他真的很開明，就認為是學長姊在危言聳聽，結果『枉死』的人一堆。」

「上不上他的課，差那麼多啊？」她一直注意著楚琬琰說話時的神情。

「他最厲害的是，他出的題目很靈活，如果對課本裡的內容沒有真的融會貫通，是根本無法作答的，上他的課就像拿著解剖刀解剖，他會帶著妳慢慢找到問題，然後解決問題。」

「他當時多兇？」

說到這個，楚琬琰笑了，俏皮的向莊淑倩眨眨眼。「我們戲稱那是哈佛醫學院史上最血腥的『大屠殺』！我們班共有五十三個學生，倖存者只有個位數。」

「噗～哈哈哈……果真血流成河！不過，看來妳是踩著別人屍體存活的那些『倖存者』之一。」

「看得出來？」

「妳臉上沒有回憶起惡師的悲憤表情，反而看起來……很愉悅，那種愉悅……

有點少女情懷，更像電影中演的老太婆回憶起年輕時戀愛感覺的模樣。」

楚琬琰的臉紅了，笑罵，「喂，我還不到三十好嗎？什麼老太婆！」好友看不到的是她被一語命中的失速心跳。

「看來妳也是被『王子』迷惑的其中之一。」

「……」楚琬琰直覺迴避好友過於犀利的眼神。

「妳啊……」莊淑倩有一種很奇怪的聯想，楚琬琰一直不肯接受盛睿云的追求，鄺靜該不會就是真正的問題所在吧？

為了阻止好友繼續問下去，楚琬琰連忙心虛的帶開話題，「那個……對了！我剛才不小心撞到一個……可能懷孕的女人……」她大略將剛才在便利商店發生的事告訴好友。

這女人擺明就是不讓她再繼續追問，算了，別人的感情事她還是少管為妙，想說的時候，她自然會說，於是莊淑倩也不再逼她，看了看手錶，「這麼晚了？我要趕快回家了，我和我家那位約好要去買東西呢！」

「嗯。」

起身走了兩步，莊淑倩突然又轉回身。「最後問妳一件事，妳和睿云……有沒有可能？」

楚琬琰怔了一下，心想，她和盛睿云當初會認識，是因為莊淑倩幫忙牽線，他們是國小、國中同學，關心一下也是應該的，於是她深呼吸一口氣，緩緩說道：「我……心裡一直放著一個人，在我努力的遺忘，以為真的遺忘時，卻沒想到他一直都在。」

要靠努力才能遺忘的人，就等於不斷在提醒楚琬琰，她有多麼喜歡那個人！她以為的遺忘不是真的遺忘，而是自欺欺人……

莊淑倩嘆了口氣，「而那個人不是睿云。」一直在身邊的人哪需要遺忘？

「對不起。」

「傻瓜，幹麼跟我說對不起？要怪，就怪那傢伙出現得太晚吧！」以前她總不明白，像盛睿云這樣的好對象，楚琬琰手腳應該快一點，捷足先登，好歹出雙入對，甚至訂個婚，宣誓主權，可這小妮子卻溫溫吞吞的，速度慢得——驚人！連她都看出盛大少戀慕的眼神，才不信這女人沒感覺。

盛睿云的對手很明顯就是酈靜，這兩個男人擺在一起是很養眼啦，一個霸氣有型，一個是冷俊花美男，兩人怎麼看都是勢均力敵、各有千秋，盛大少目前唯一佔

優勢的是家世，那也是因為酈靜家世「不明」，他低調到沒人知道他的出身，也許哪天底牌一亮，人家也是個大少爺什麼的。

可是啊可是，重點不在誰的條件比較好，而是楚琬琰喜歡的是誰，說到這，盛睿云可就不是一個「慘」字可以形容的了。

感情的事……唉，世上第一難題。

第五章

酈靜的手被高腳杯玻璃割傷，經過清創包紮後，已可返家休息。

他的手沒被包成可笑的圓球狀，越來越輕便的包紮，可看出材質的先進和他的傷勢其實不算重，但即使是這樣，楚琬琰還是小心翼翼地護著他，活像他受了什麼重傷似的。

不過車內過於安靜的氣氛，可以感覺到一些不尋常的氣息，酈靜安靜也就算了，兩人中總是負責炒熱氣氛的楚琬琰也過於安靜，那是因為她感覺到他的不快。

一面開著車，楚琬琰終於忍不住，開口問道：「手……怎麼會受傷？」他今晚參加的是宴會，不是什麼械鬥吧？

「不小心割傷的。」

「不小心？」

主治大夫劉醫生說，從他手心中挾出二十來片大小不等的碎玻璃，那會是「小不心」割傷的？算了，既然他不想說就算了，不知為何，她忽然有點生氣，氣自己的太過多情！天知道打從知道他受傷那一刻起，她是以怎樣的心情飛車到醫院，又是怎樣煎熬的在手術室外等候著，明知道只是清創的小手術，可她就是很不安、很焦慮。

然後呢？好不容易等到他出來了，她只想知道他是怎麼受傷的，但他的回答卻像是在打發一個不相干的人！

是啊，本來就不相干，她是他的誰？以前是代理孕母，現在是隨時可以替換，取代性極高的床伴，他什麼也沒承諾過她，不是嗎？

接著，楚琬琰也不再多說什麼，兩人就這麼一直保持沉默的回到家。

「妳在生氣？」進門後，酈靜問道。

楚琬琰沒理他，逕自走回自己的房間。

兩人雖然連親密的行為都有了，而且發生的頻率頗高，可他們還是各有各的房間，也許……那是楚琬琰僅留的最後一道保護防線。

在她的想法中，房間是屬於自己最私密的範圍，她可以和酈靜在這個房子內的各個角落做最親密的事，可卻不曾讓他進到自己的房間裡。

因為是最私密的私人範圍，那裡只有和她心意相通，彼此戀慕的人才能留下，多年來，這個房間除了自己，還是自己。顯然的，酈靜不是具有那個條件的人，抑或說，她沒那個「條件」讓酈靜留下。

除了上班地點，房間是她最常待的地方，她不想哪天酈靜離開她的時候，她回自己家，連個可以「逃避」、可以遺忘酈靜的空間都沒有。

以往楚琬琰只要走進房間，總能成功的將酈靜阻隔在門外，彼此沒有明說，可奇怪的是，他們就是有這樣的默契，可是這一回，當她走進臥室，酈靜猶豫了一下，還是推門跟了進去。

「你……」楚琬琰怔了一下。「這是我的房間！」

「妳在生氣。」

「出去，不准進來！」該死的！他現在就站在那裡，以後他要是離開她，她是不是每次只要進到房間，就會想起他，想起今天的事？他知不知道她每次只要一想到他有一天可能會離她而去，就、就會難過得受不了……

「妳在生氣。」

他是語言學習機還是唱盤「跳針」？楚琬琰惱火！「我有什麼好生氣的？我們根本不是那種可以生氣的關係！我是你的誰呢？多年前是暗戀你的學生，多年後依然只是個單戀你的笨蛋！」

「妳是蘇蕊的媽。」

他不開口還好，一開口楚琬琰都快吐血了！在他的認定裡，他們的關係最多就只是這樣？蘇蕊的媽？也就是說，沒有蘇蕊，他們就什麼都不是？他要傷人還真的好容易！

「對！要不是你完全不知情，我還沒有辦法當蘇蕊的媽，你要是知道的話，一定會馬上阻止，我就沒機會了，對不對?!」她試過，這段時間她真的努力嘗試過要和酈靜愉快的相處，放縱和他之間那種曖昧不明的氛圍。

她只要確定自己心裡所想、所要的，知道自己愛著酈靜那就夠了。

她逼自己不去多想酈靜對自己的感覺，不去猜測彼此的想法是否一致，她甚至覺得，即使要她再單戀一次都無所謂。

反正她活在當下，她做了當年不敢做的事，她說了當年開不了口的告白，這就夠了。

日子一天天過，彼此的互動越來越多，交集越來越深，但越是和他親密，她越無法避免的感到焦慮不安和空虛，原來，這麼多年來，在感情這一塊，她並沒有成長，她還是那個做不到身心分離的女孩，她還是那個……想得到對方的愛才能讓感情繼續的笨蛋。

像她這種保守的傢伙，怎麼可能覺得自己有辦法在感情中灑脫呢？

「我不會讓這種事發生。」酈靜就事論事。

楚琬琰不敢相信他居然當著她的面這麼說，擺明當年即使知道是她送上門，他一定會回絕，明知道他的個性是這樣，她也推測得到結果，可她還是覺得很難過……

嘴巴動了半天，卻發不出任何聲音，突地，她用力推著酈靜，想把他往門外推。「你給我出去！出去！」

「琬琰，情緒化解決不了事情！」

「對！我就是情緒化，因為我只是個平凡人，不是理智冷靜的大天才酈教授，我就是不講理，你能把我怎麼樣！」

「……」

無奈男女天生力氣有差，楚琬琰根本就推不動酈靜，她又氣又惱，想攻擊他發洩，又怕不分輕重的捶打，會不小心傷了他。

啊！她好想尖叫！為什麼都到了這種時候，她都還不能隨心所欲的發洩怒火，她像是天生就注定要受酈靜的氣、任他欺負，一想到自己所受的委屈，她的力道頓時變弱，轉過身去，肩頭不受控制的微微顫抖……

「琬琰……」酈靜嘆了口氣。

「你……你出去啦！」肩頭抽動得更厲害。她真的覺得自己像個潑婦，也覺得無法將自己的感情傳達給酈靜，只能藉由這種無理取鬧的方式宣洩，卻又感到無奈可悲。

酈靜一個箭步向前，從身後環抱住她，她想掙脫，但又怕碰到他受傷的手，最後只得負氣的僵著身子，任由他抱著。

酈靜見她不再掙扎，便試著開口解釋，「男歡女愛這種事……我沒有辦法強迫自己和不喜歡的女人上床，當年……我心裡有人，會拒絕妳是正常的，妳雖然是我欣賞的學生，但那時的我們並沒有發展特殊感情的空間。」

「……這些我都知道，易地而處，我也會這樣，但還是覺得難過。」她哽咽悲哀的說：「如果沒有小蘇蕊的願望，我想……你不會來找我，又……如果小蘇蕊沒有出狀況，我也不會知道她是我的女兒，你也不打算現身，我們……也不會有機會像這樣在一起，說到底，我其實該知足了，是不是？」真可笑、真諷刺，也真夠心酸，她像一顆陀螺，鄺靜只要用一條線纏住她，順手拋出，就能把她耍得團團轉。

「琬琰……」

嘆了口氣，她說：「我沒事，你先出去，我想一個人靜一靜。」

鄺靜並沒有照她說的做，反而縮緊手臂，將她環得更緊。

他有很好的學識、穩健的台風，可以向許多所謂的菁英、大人物講述他的專業，唯獨在感情這一塊，面對越是在乎、越是喜歡的人，他表現得越笨拙。

他知道感情無法用公式或「自由心證」去了解，可……什麼事都得化為語言，逐字說明解釋，那真的不是他的個性，可楚琬琰卻是那種事情沒明確說出口，就不算數的人。

這次帶蘇蕊回台灣，真的只是想完成女兒的心願，他沒想過要見楚琬琰，也許不是不想見，而是……怕見了就走不開了。

他從來不懷疑自己的自制力，築得如此高的心牆，他也從來沒有懷疑過它會有崩壞的一天。

這麼多年不見，他不想打擾楚琬琰，也不想亂了自己的心，只是……計畫永遠趕不上變化。

無奈一嘆，「當年，當我知道代理孕母這件事的始末後，沒有立即去找妳，是因為我從朋友那裡得知，妳從醫學院畢業後就回台灣了，在著名的大醫院擔任小兒科醫生，我想，以妳的條件一定不乏追求者，妳體貼溫柔，想必身邊已經有個疼惜妳的男人，知道妳過得不錯，我就沒有繼續打探妳的下落了，妳有妳的生活，也許妳不想被打擾。」

她一定想不到，他辭去哈佛教職後再度回到校園，不是為了回去看看以前的老師、同事，而是走過楚琬琰曾經亦步亦趨跟在他身邊的每條路線、每個角落……

後來他只要一有空，也會往谷天佑那裡跑。

楚琬琰扁了扁嘴，豆大的淚珠就這麼掉了下來。這就是最心酸的事，明明不乏追求者，人家條件也不錯，可是……她就是無法動心。

「是啊，說不定你也會和一堆女人交往！」

酈靜沒有否認，離婚後到知道楚琬琰的事的這段時間，在家人的勸說下，他和一名世伯的女兒交往了快半年，但因為她不喜歡蘇蕊，之後也不了了之。

知道他還真的和其他女人交往過，楚琬琰心裡有說不出的複雜，火氣一下子冒得更高。

她知道，當然知道！酈靜條件那麼好，即使他已婚，還是有一堆女人覬覦他，可是、可是……比起她傻乎乎的只愛他一個，很不公平！

「追我的男人真的不少，個個條件也還真的不賴，五年啊……好長的日子，夠我交往好幾個了。」

「可以想像。」他話說得平靜，心裡卻漸漸匯聚一股陌生的情緒，那種感覺，就像在宴會上聽到楚琬琰已經有交往密切的男友一樣。

原來他也會吃醋！當年親眼目睹前妻和別的男人偷歡，多少會感到難堪生氣，可更多的是「恍然大悟」，也許是那段婚姻，他們夫妻間互動冰冷，早磨損掉太多的感情，因此即便在那一刻，他也沒有太激烈的反應，可對於楚琬琰……

他的反應超乎他的意料之外。

他、他還真的以為她和一堆男人交往過?!楚琬琰心臟一陣無力。「你、你……

你出去！出去！」強迫他轉身，在身後推著他。

氣死人了！這個笨蛋！

又要他出去？他說了什麼讓她生氣的話嗎？不但推人，還捶了他的背好幾拳！這女人，原來是個小暴力份子。「琬琰，妳為什麼生氣？」轉頭看她。

「我不要和你說話！」她現在真的超想尖叫！

「生氣的理由是什麼？琬琰……我想知道。」他伸出雙手抵在門框，硬是不出去，疑惑的轉身。

她生氣的瞪著他說：「我的心住了一個惡房客，好說歹說就是不肯搬，過了好久好久，久到連我都忘了那名惡房客的存在了，我開始大方的張貼『租賃』公告，也有新房客想要入住，可那些人總是無法順利住進來，一開始我老是想不出原因，後來才知道，惡房客從來就沒有搬出去……你要聽這些嗎？是這樣嗎？你……你真的很可惡、很討厭！」分不清是委屈，還是生氣，她的眼淚就是忍不住！

惡房客？指的是他嗎？

酈靜終於懂了，這麼多年來，她心裡放的還是那名「惡房客」嗎？於是他輕輕的問：「那個死都不搬的『惡房客』叫酈靜嗎？」

「你到底……」

她的話還沒說完，下一秒立刻被熱烈的吻住，鄺靜有些粗魯的動作逼得她在嬌喘連連之餘，不自覺的往後退，最後腳跟踢到床腳，往後一倒，整個人就這麼被他壓在床上。

「鄺靜……你的手！」

氣死人了！為什麼她第一時間惦記的總是他！她明明就這麼生氣，不是應該要罵罵他、詛咒他嗎？可是……可是……

她呀……為什麼會這麼喜歡這個人？楚琬琰不禁在心中嘆息，別開臉。

鄺靜不理會，他看著她。「琬琰，多年前我們相遇的時間不對，所以我們注定分離，但多年後，我卻不知道遇上妳的時間究竟對不對……」知道她的心意，他索性也把心中的疑慮說開。

既然她心裡的那個人是他，為什麼他會在宴會上聽到那些話？難道只是認知上的差異，抑或有人在說謊？

「……」

「如果妳已經是屬於別人的……」如果她有了喜歡的男人，如果她承認了……

酈靜冷靜的眸子蒙上一層陰鬱，在宴會中聽到的話，不斷在他耳邊重複，再度令他引以為傲的理智崩塌，低下頭，他霸道而強勢的吻住她，不容她拒絕。

沒多久，楚琬琰上半身的衣服已經被他脫去，她怕掙扎會弄痛他受傷的手，一直處於「配合」狀態，可……不行！她的氣沒消，在最後一件底褲也被褪下時，她立刻抓著床單滾到一邊。

酈靜聲音沙啞，「琬琰？」

楚琬琰氣息紊亂，微喘著氣。「你受傷了，我連知道你怎麼受傷也不能問，你……你知不知道我有多擔心，你什麼都不知道……」她越想越生氣，滿腹委屈讓她激動得說不下去。

「過來。」

「不要！我們之間的關係太不正常！」

「因為妳心裡有人？」

楚琬琰火大！「你喪失記憶了嗎？我剛才都說心裡住了一個死皮賴臉不肯搬走的惡房客了！所謂的不正常是……」不管，她豁出去了！「我喜歡的太多，而你總是……感覺就只有我在喜歡你！多年前暗戀，多年後單戀……夠了！真的夠了！」

反正被拒絕就這麼一次！

「過來。」

「才不要。」她嘀嘀咕咕，臉忍不住紅了。「一旦讓你得逞，我又會忘記跟你要答案。」明明他就是那麼冷情的一個人，在床上怎能那麼熱情？熱情到她根本就不是對手，每次都只有豎白旗投降的份！

酈靜忍不住失笑。既然她那麼堅守「崗位」，那他過去也一樣。

「你你你……」幹麼一直靠過來？

「盛睿云是誰？」

咦？他知道他？「朋友。」

「可以論及婚嫁的朋友？」

「誰跟他可以論及婚嫁？」幹麼扯開話題？

「妳和他在交往嗎？」

「……沒有。」是沒有，可是她知道盛睿云對她很有心，有心到讓她很感動，感動到覺得即使不愛他，她是不是也可以和他牽手一輩子？

如果酈靜一直沒有出現，她真的不知道自己會做出什麼樣的決定，理智上她會拒絕，可如果盛睿云還是一樣執著呢？這場「拔河」誰會贏，她就真的不曉得了。

他注意到楚琬琰頓了一秒才回答，有些閃神，於是他瞇了瞇眼，突然又吻上她，拉開她遮擋在胸前的床單，強勢的要她……

「等一下……」

他完全不理會她，薄唇繼續在她雪膚上留下屬於他的痕跡……

「你還沒回答我的問題！你……」

他忽然一口含住她胸前的粉紅，舌尖有意無意地輕輕勾舔，他要她心只放在他身上，分分秒秒！

她倒抽了口氣，緊咬著牙，不讓自己呻吟出聲。「等一下啦～」

酈靜在心中一嘆，得不到滿足的感覺令他煩躁，勉強停下動作，雙手撐起身子看著她。「我在宴會裡聽到妳和盛睿云這個名字扯在一起，陌生的激烈情緒讓我失控，就這樣捏碎了酒杯。」

楚琬琰不可置信的看著他，這是一向冷靜的酈教授會做出的行為？他……

「很難看，是不是？」他的俊臉露出一副認栽的表情，耳朵也微微泛紅。「真的喜歡上了，就是這麼笨拙、這樣可笑。」

楚琬琰的眼眶泛紅了，無法相信！「那你為什麼跟蘇蕊說在外頭就不能叫我媽咪？那種感覺就像是你隨時會帶她走，而我們之間什麼都不是。」要問就一次問明白。

「一個單身的年輕女人突然冒出一個女兒，妳要怎麼跟同事朋友解釋？難不成真的要把當年的事全盤托出嗎？」他嘆了口氣，「妳該知道，蘇蕊在外頭叫妳媽咪，在我們有正式的名份之前，會引發很多問題，而且那個時候，我以為妳身邊已經有人了，蘇蕊媽咪媽咪的叫，遲早會傳到那個男人耳中……」

「在你以為的這種情況下，你還敢抱我？」鄺靜是這麼開放的人嗎？

「妳主動開口，我以為那是妳當年未竟的夢，畢竟男歡女愛，這年頭不再只是戀人之間才能發生的行為。」楚琬琰的要求是個關鍵點！

重逢後，他一直盡量和她保持距離，太近，他會看見自己對她的慾望，他會強勢的主導一切，到時她根本沒有機會逃。

而楚琬琰的主動要求，幫彼此做了選擇！

雖然他很矛盾，也知道該為她留條後路，可……他還是選擇斷了她的「後路」，強迫她只能看他，走他這條路！

太荒謬了，楚琬琰想笑卻笑不出來。他當是貓的報恩嗎?!「替我『完成我當年未竟的夢』後，你還主動抱了我好幾次！」真是太令人生氣了！既然他認為是她主動，那她也要陳述事實，他應該沒忘記那一整夜的癲狂吧？

那一晚他一直到凌晨四點多才讓她休息，一早他就神采奕奕的去參加學術研討會，而她則是昏睡到晚上，他從研討會回來才叫她起來吃飯，有夠丟臉！

「那種事，我也只和心愛的女人發生。」喜歡的女人就在面前，對他提出要求，不能怪他自制力太差，因為她只是早一步說出他的想望，「琬琰，五年的時間不算短，誠如妳自己說的，夠談好幾次戀愛了，我沒有把握妳心裡是不是還有我，可我卻清楚，我要妳，我要妳是屬於我的，任何可以喚起妳對我渴望的方式，我都會去做，男歡女愛亦然。」先性後愛是本末倒置，可他在不確定對方怎麼想時，只能選擇先下手。

楚琬琰的臉紅了。這個人……她慢慢發現他除了精明之外，還很強勢，必要時甚至不介意耍手段。

「怎麼，覺得我不夠『光明磊落』？」情場如戰場，在完全無法掌控，不知道能否得勝的狀況下，他只能先拿下眼前拿得到的。

楚琬琰搖了搖頭。「像你這樣的人，想要什麼沒有得不到的，大概也是因為這樣，很少有什麼東西是你非要不可的吧。」

她主動伸出手環上他的頸項，親吻他。

「我一直以為，這輩子我可能都無法聽到你的告白了。」

「惡房客終於繳房租了。」

「怎麼辦，你欠了好多年，可能要還很久喔！」

「那有什麼方式是我可以永遠住下，而且不必繳房租？」

楚琬琰輕笑。「無賴！」

酈靜輕輕在她耳邊低語，「等一下妳就會知道什麼叫做真正的無賴。」說完，他緩緩壓下身，繼續方才被打斷的親密。

熱情再度被挑起，兩人第一次坦承心中戀慕，心意相通的歡愛比往常的任何一次都要熱烈，情火助長慾念，點燃一簇又一簇的烈焰……

兩人忘情的歡愛，一次又一次把對方帶往情慾的高峰……

此時酈靜的手機放在客房，響了一次又一次，最後進入語音信箱，留言者有著年輕女性特有的悅耳清亮嗓音，說話時還帶了點腔調——

「靜，什麼時候來找我?我想見你，打了好多通電話你都不理，我知道你現在住在哪裡，你如果不來找我，我只好自己去找你了……」

第六章

這對男女在外人眼中看起來十分登對——

女的美麗亮眼，約莫一百六十五的高䠷身材，腳下踩著七、八公分高的高跟鞋，這樣的高度站在氣質偏冷的花美男身邊不會顯得不搭，因為花美男身高一八七，仍高出她十來公分。

外貌如此登對的男女，感覺卻有點奇怪，因為女的笑臉相對，偶爾會出現一些撒嬌的舉動，男的卻當她是空氣人，完全不理會，還有意無意的保持距離。

女人大方的挽著男人的手，花美男直接避開，偏冷的臉又降了幾度，低沉有磁性的嗓音不帶任何感情地說道：「水谷，妳約我出來到底有什麼事？」

美人不高興的嘴一噘。「你以前會叫我明美。」

「我們不是男女朋友了。」很早以前就不是了，只是他很倒楣的在她每甩了一任男友，找到下一任之前，都會成為她的「替代男友」。

「還是朋友，不是嗎？」

「既然是朋友，就不要傳一些會讓別人誤會的簡訊。」水谷家和自家企業有生意上的往來，在家人促成下，兩人曾短暫交往過，可因為個性觀念差異太大，再加上她不喜歡小蘇蕊，他很快便選擇結束這段關係。

分手後，她常傳想復合的簡訊給他，為了顧及兩家情誼，以及水谷明美父親對他的厚愛，他只能做出不回應的冷處理，幸好沒多久就聽說她交了新男友，原以為從此天下太平，沒想到他高興太早了！

水谷明美在他之後陸續交往過不少男友，但每一次分手，她就會傳曖昧簡訊給他，逼得他換了兩次手機號碼，可神通廣大的她，總可以在最短時間內取得他的新手機號碼，之後他索性不換了，反正也躲不過她這個麻煩。

「我聽說你目前單身，只要單身，我就還有希望不是嗎？」

水谷明美和不少男人交往過，她總會不自覺將他們與酈靜相比，最終還是覺得酈靜最好，於是兩個月前和男友分手後，她就又開始打聽酈靜的消息。

這一次，她是很認真、下定決心的想和酈靜好好交往。

「我不是單身，即使是，我也有個女兒。」

水谷明美不壞，可玩心太重，她只要男人愛她、專寵她，再加上他認為也許是因為宋芳敏當初對小蘇蕊太冷漠，他總覺得是因為這樣，小丫頭才會過於早熟，基於彌補心態，他一直希望交往的對象可以很疼蘇蕊，將她視如己出。

當初會答應和水谷明美交往，與其說想找個女人陪，不如說是想為蘇蕊找個媽，他的父母也是用這一點說服他。

只可惜，一個人愛不愛孩子，短時間也許可以偽裝，長期相處，終究會露出真面目。他忙於學術研究，不會注意到小細節，在他面前，水谷明美非常寵愛小蘇蕊，可人後她卻常常欺負她，甚至用言語攻擊，只是她低估了蘇蕊的智商和表達能力。

所以兩人交往數個月就結束，之後他深刻檢討，要找喜歡他的女人不難，可連帶要喜歡蘇蕊……很難！

小蘇蕊有著無懈可擊的天使外表，但個性……除非是她自己喜歡、想討好的，要不然她就不太理人。

像她這樣過度聰明早熟又太有個性的孩子，連他都覺得……不太可愛！說到底，這孩子的個子比較像他，不像她溫柔可愛的媽咪。

楚琬琰熱情溫和，很討人喜歡，都二十七了，孩子氣還是很重，有時玩性一起，淘氣得跟個大孩子沒兩樣，他突然有種錯覺，家裡其實有兩個小孩。

可那孩子氣的女人在有求於他，或試圖說服他什麼時，卻又可以柔情似水的彷彿要把他融化，那無辜的眼神，高高噘起的紅唇，扶在他腰上輕輕施力的手，或是索性把整個人塞進他懷裡……她多的是招數讓他最後只能豎白旗聽她的。

當然，那女人也有固執的一面，而且他最近發現，她還有些暴力傾向，根本是個小暴力份子……

想到楚琬琰，他冷峻的表情緩和下來，拉回心神，真是的，不過是想到小蘇蕊的脾氣，忍不住又想到楚琬琰了。

她現在應該已經準備出發了吧？他們約好晚一點一塊吃飯。

今天兩人沒有一起出門，一來他想和水谷明美見個面，二來，他在暗中進行著一件事，但這事暫時要對楚琬琰保密，三來……是他過於謹慎小心嗎？總覺得好像有人跟拍。

「以前是我不對，可現在我改了，我可以……」

酈靜阻止她說下去，「我有喜歡的人了，應該很快就會結婚。」

她不可置信的提高音調，「你在跟我開玩笑嗎?!」怎麼可能！徵信不久前才給過她消息，那時明明就說他沒有女友，現在卻突然有了，還論及婚嫁？酈靜不是這麼隨便的人，如果是，她早就是酈太太了。

她只有在台灣的這段時間沒找徵信社，情敵不會剛好在這陣子出現吧？

「這種事怎能開玩笑？」

「我不相信！你一定是為了要拒絕我才說謊的。」

酈靜忍不住皺眉，但又想起兩家友好的情誼，以及水谷德雄在他向家裡抗爭，堅持要走醫學這條路時，幫他說服固執的父親，他還是強忍住不悅，試圖好言好語，「我是真的有喜歡的女人了。」

「之前我才聽說你沒有交往的對象，現在馬上就要論及婚嫁了？會不會決定得太倉卒？而且……而且那個人和蘇蕊處得好嗎？」酈靜很在乎這個，她知道。

「這些都是我的問題。」他的感情為什麼要向一個不相干的人解釋？

「你是我喜歡的人，如今你喜歡上別人，那麼那個人就是我的情敵，怎麼會沒有關係？」

鄺靜冷冷的看著她。「我喜歡的那個人，從來不會把自己的情感強加在別人身上，要對方收下。」

「那是因為她缺乏自信。」

鄺靜不理會她，他一向是個低調的人，喜不喜歡一個人，喜歡她哪裡、那個人適不適合自己……這一切都和其他人無關，誰也左右不了他，包括自家父母長輩。

「被我說中了，對不對？那種沒自信的女人你看得上？眼光會不會太差？」

鄺靜眼底結了層冰。「如果因此而看不上妳，那也是件好事。」

「你……」

這個女人不管過了多久，想的還是只有自己！鄺靜懶得理她，手機正好在此時響起，他看了號碼一眼，最近這個「確認」動作很重要，他的祕書告訴他，最近想跟他提專利合作的企業暴增，要他別接陌生電話。

若跟學會要電話，只能得到祕書的手機號碼，再由祕書傳達讓他知道，可這年頭多的是不照規矩來的人。

之前他就接過兩次廠商的電話，他明明只是個學者，卻總是有人要找他「代言」，讓他煩不勝煩，至於他們是怎麼知道他的私人號碼的，他只能說這些人真的很有辦法。

這通電話是楚琬琰打來的，酈靜正要接電話時，水谷明美早先一步抽走手機，轉過身看了眼，便不由分說地直接把電話切掉。

奇怪，顯示的手機號碼好熟，她不禁閃了下神。

酈靜趁機拿回手機，不悅地斥責，「妳別太過份！」

「既然是赴我的約，你的時間就是我的，你應該把手機關機。」

「今天只是要來和妳說清楚，如果沒別的事，我還有其他事情要處理。」說完，他立刻往前方不遠的精品珠寶店走去。

走上階梯，推開珠寶公司的大門走了進去，水谷明美哪肯作罷，也跟著進去。

酈靜不自覺皺起了眉，可這裡是公共場合，他實在沒道理趕她出去。

「想送首飾給女友？」水谷明美對酈靜不歡迎的臉色視若無睹，依舊很熱情的挨近他。

酈靜不理會她，找到了他較熟悉的那位店員，那時她正在服務另一名客人。

「盛先生要不要也考慮一下這款翡翠？夫人喜歡的款式通常較簡單典雅。」店員的眼角餘光瞥到一旁的酈靜，便馬上向他微微頷首，趁盛睿云還在考慮之際，她笑著對酈靜說：「酈先生今天想要看什麼首飾？」她能成為店內最受歡迎的店員，業績無人可及，除了口才好，最重要的是眼力好、記性佳。

「昨天看的那兩只戒指我可以再看一下嗎？」

店員馬上拿出兩只頗具設計感的戒指，然後又拿出一只新款。「這款是今天新到的款式，法國名設計師的限定款，帶點中國風，又不失典雅時尚，中間的主鑽是四點多克拉的粉鑽。我覺得可能符合酈先生對求婚戒指的要求。」

水谷明美眼睛一亮，忙拿起來往自己的中指套。

「水谷，妳……」酈靜的臉色頓時變得極為難看。

水谷明谷亮了亮漂亮的手。「很適合吧？」

店員以為她就是酈靜的準未婚妻，笑著說：「小姐皮膚白，這戒指很適合妳。」然後又對酈靜說：「戒指是要送給這位小姐的吧?你的未婚妻真漂亮。」

酈靜正想要否認時，手機突然響了，他看了眼來電號碼，便走到一邊接聽。

一旁看首飾的盛睿云也看了他們一眼，覺得那氣質冷漠，高大斯文的男子好像在哪裡看過，然後對店員說：「行了，就這組翡翠首飾組，戒指請幫我調好我媽咪

的尺寸，明天我再叫祕書過來拿……」交代完，就走出珠寶店。

沒多久鄺靜講完電話走回櫃台前，水谷明美已經簽好支票，買下那枚戒指。

「我喜歡這只戒指，先下手為強嘍！」

原來鄺靜說的話是真的，他有論及婚嫁的女友了，這怎麼可以！看來她得故計重施，她一定要知道鄺靜和什麼樣的女人交往，而且讓他們結不成婚。

鄺靜的臉這下是真的沉下來了。

店員笑得有些尷尬，直到水谷明美自己掏腰包把戒指買下來，她才後知後覺的察覺到這兩人好像不是情侶。「那個……」

「沒關係，我改天再來。」

鄺靜不滿的轉身往外走，水谷又馬上跟上。「靜，等等我嘛……別……這麼快！」

盛睿云在珠寶店外等自家司機，看到在珠寶店遇到的男女一前一後的走出來，兩人好像有點小爭吵。

「鄺靜，你走慢點！我……啊！」話還沒說完，水谷明美腳下一扭，差點跌倒，她忍不住驚呼出聲。

酈靜回過頭，無奈的往回走。「水谷……」

「我懷孕了，兩個多月了……」在酈靜還在訝異之際，水谷明美馬上投入他的懷抱，委屈的哽咽，「酈靜……我該怎麼辦?!」

「……」

站在十餘步外的盛睿云有趣的看著這一幕，待自家車子來了，他上了車，車門一關，他突然想起這個高眺俊美的男人是誰了。

酈靜！對了，方才那叫水谷的女子不也叫他酈靜？

從他昨天回國到方才出公司之前，老爸在他面前提過好幾次那個人的名字，還拿了一些他的資料和醫學專利要他看。

看來……他們很快會再見面吧！

楚琬琰幫忙酈靜收拾行李，還是忍不住咕嘀，「住在這裡住得好好的，為什麼非要搬回飯店住嘛？」

酈靜邊整理東西，邊閃神，想著昨天和水谷德雄的電話內容。

當他得知女兒懷孕又纏上酈靜一事時，他先是沉默，然後重重嘆了口氣說：「酈靜，造成你的困擾我真的很抱歉。」

「不，我只是認為水谷懷孕的事，有必要讓您知道，看來，伯父並不清楚這件事。」若只是為了水谷明美纏上他的事，昨天他就不會打那通電話了。

她的糾纏不定時會發生，若每次都要求助水谷德雄，實在太難看了，所以，除非水谷明美真的惹出了什麼大事，要不然他不會打擾他老人家。

「……嗯。」雖然女兒懷孕的事是酈靜通知他的，他也知道孩子絕不是酈靜的，酈靜是他從小看到大的好友之子，他沉穩內斂，除非是極為喜愛的女人，要不然他不會動手。

對這女兒，他真的很頭疼。

「水谷……情緒不是很穩定。」酈靜說的含蓄。

「我目前在西歐考察，約莫一個月才會回美國，這段時間是不是可以容許我有個不情之請……在我親自帶她回美國之前，能不能請你先替我照顧她？」

水谷德雄的言下之意，是要女兒把孩子生下來嗎？他知道孩子的父親是誰，或有什麼原因嗎？一般而言，當父親的知道女兒未婚懷孕，應該不會像他這麼冷靜吧？他接下來該做的，應該是快點找出女兒的男友，看是要讓他們結婚，或是另有打算，而不是要他這個外人幫忙照顧她。

水谷德雄似乎也能理解酈靜的困惑和困擾，又說：「我知道這有多令你困擾，可現在要明美回美國，她一定不肯，也許還會躲起來，我希望她能好好安胎，直到穩定下來。」

「我……」這是不可能的事！酈靜馬上就想回絕。

「酈靜，明美肚子裡的那個孩子對我來說十分重要，我不管孩子的父親是誰，她嫁或不嫁。」

「伯父，你……」

「我夫人早逝，膝下無子，就明美這個女兒，她在學生時代發生過車禍，曾傷及子宮，醫生說，雖不是完全無法懷孕，可機率大大降低，低到……可能不孕。」老人家的語氣中含有極深的無奈和落寞。「雖說企業傳賢不傳子，可……也許是我保守，這方面，還是會有遺憾，所以，酈靜，這件事你就幫幫我這老頭子吧。」

長輩都這樣哀求了，酈靜也不好再拒絕，只能在心中一嘆，接受了他的請求，就當還他當年的人情。「我知道了。」

結束這通電話後，酈靜知道這麼做，無疑是帶了一顆未爆彈在自己身上，一定會把他和楚琬琰的生活搞得一團亂，唉……考驗從此開始！

水谷明美住在飯店，既然答應要照顧她，他覺得住在同一家飯店會比較方便，就算他不這麼做，他懷疑以她的性子，很快就會找上門，屆時她會對「情敵」楚琬琰說什麼謊、造什麼謠，光想他都覺得無力，因為他從來不懷疑她無中生有的能力。

當然，他可以大方的告訴楚琬琰所有的事，先幫她打根「預防針」，可光是和水谷明美住同一間飯店這件事，他不認為楚琬琰可以接受，換個角度想，今天若是楚琬琰和盛睿云因為什麼理由必須一起住到飯店去，即使楚琬琰再三保證兩人只是朋友，他可以忍受嗎？

光用想像的，他的心裡就直冒火，也許到時候他會一起住到飯店，就近監視。

他和楚琬琰都喜歡著對方，但真正相處的時間太短，這樣的感情夠濃卻不夠厚，就像石膏水待凝，濃度高，只能加速質地變硬，並無助於強化它不被摧毀。

他們彼此間的信任程度仍有待考驗。

再則，他完全沒有想過，他這個只是從事醫學研究的普通人，竟會在短期內莫名其妙的「爆紅」！居然三不五時就有廠商透過祕書傳達，要他代言一些產品。從醫藥用品、保養品……什麼都有，最莫名其妙的還有西服廣告。

在美國這樣的事也不少，只是都被他強勢的家族勢力擋掉，人家只要知道他的家世背景，通常就沒人敢自討沒趣，也沒哪家狗仔八卦雜誌敢多提他的事，因此他的名字通常只會出現在醫學論文發表的專刊上。

可是他現在是在台灣，他拒絕得了那些廠商，不見得杜絕得了狗仔，而且最近跟拍的情況越來越明顯了，他不得不防。

一再考慮的結果，他只好先搬出楚琬琰家，而且暫時不告訴她水谷的事，目前……只能先這樣了。

楚琬琰說了半天，發現酈靜都不搭腔，她便將臉湊近。「酈靜？酈靜先生！」還在神遊！於是她輕啄了他的唇一下，順道啃了一口。

「噢！」酈靜突然一痛，馬上回神。

「你在發呆喲，我說了好多話，可是你都不理我！」

「對不起，妳剛才說了什麼？」

「豬八戒，酈靜！」

「愛上豬八戒的楚琬琰，有什麼事嗎？」

楚琬琰怔了一下，笑了出來。這個人反應快，回馬槍給得狠。「以前都不知道你也會開玩笑的呢！」噘著唇，很習慣的又窩進他懷裡，喃喃的重述方才的話。「住在這裡好好的，為什麼要搬回飯店？你住在這裡這麼久，也沒什麼八卦狗仔，沒事的吧？」他的理由她也想過，只不過……有這麼嚴重嗎？

「也許他們還在蒐集資料什麼的，拍到我們同進同出，也許只能寫我們是情侶，男未婚女未嫁，這個沒什麼爆點，但如果他們盯上小蘇蕊，或是查到以前的事呢？」鄺靜看著她。「琬琰，什麼事都要做好最壞的打算，這樣才安全。」他從來不懷疑那些人搞破壞的能力！

提到蘇蕊，楚琬琰就沒再反對了，她的孩子如果被盯上，她一定會恨死那些狗仔，也恨死自己的。

幽幽的嘆了口氣。「這樣以後能相處的時間少了很多。」

「沒關係，來日方長！」

「說得好像你一點也不在意。」行李準備好了，她替他蓋上，上鎖。「我去醫院銷假上班好了，你和蘇蕊都不在，這房子變得空盪盪的，好寂寞。」這麼說好像有點任性，她呀，真是越來越貪心了，以前一個人住，不也活得好好的？嘆了口氣，她又說：「對不起，我有點情緒化。」說這些話擺明在為難他。

忽然想到什麼，她站了起來，替他拿來手傷藥膏，以及每天要補充的營養品，叮嚀道：「雖然傷口癒合得很好，但每天睡前還是要記得擦藥，還有，記得要補充維他命，你這個人一忙起來，有時都會忘了吃飯，喏，這裡是一個禮拜的份，吃完了就過來拿，順便……看看我。」把整理好的藥包往他懷裡塞。

這女人啊……方才明明還這麼不開心，可還是惦記著這些事，默默的替他準備好，酈靜笑著打開包包，將維他命拿了四包出來，還給楚琬琰。「一天不見面還好，兩天是極限了。」

楚琬琰一怔，笑了出來。「看來你喜歡我還不夠多，人家不是說一日不見，如隔三秋嗎？你『六年』沒看到我，才會想我！」話一出口她才驚覺，從她懷孕到現在……真的已經六年了，原本的玩笑話頓時變得有點感慨。「現在想起來，這漫長的六年真的不知道是怎麼熬過來的。」

酈靜似乎也頗有感觸，「所以，老天讓我們見面了。」他將她摟進懷裡。

「靜……為什麼我們好不容易才坦承對彼此的心意，就又要分隔兩地？說分隔兩地是有些誇張，可是不知為何，我有點不安……」她仰起臉笑，笑得有點勉強。

輕啄了下她額頭。「傻瓜！」

「有時候明明跟你這麼靠近，抱得那麼緊，我還是好怕這只是一場好夢，所有的美好甜蜜只在夢中，只要一醒來，就會發現我們其實從來沒有重逢過，更沒有表明對彼此的愛慕，我還是一個人、孤孤單單的一個人。」

「……」

「我們剛開始在一起時，這一切實在美好到太不真實了，所以我常常作惡夢，夢見我還在美國唸書，我暗戀的事被你發現了，你看我的眼神，像在看一條噁心的蟲，還逼我從你眼前消失！這樣的夢我作了好多次，有好幾次是哭著醒來的，然後發現你就在我身邊……我總要好一會兒，才能確定自己是作惡夢，要緊緊抱著你才有辦法消除不安，再次入睡。」

怪不得他醒來時常常發現她整個人窩在他懷裡，他心疼的看著她，她的缺乏安全感他可以理解，在她的想法中，一定覺得她愛他比較多，通常付出比較多的一方，常常覺得自己是輸家，沒安全感是很正常的。

楚琬琰的感情早在六年前，不！更早！對她而言，會覺得他是因為她是蘇蕊的媽咪而加分吧？

「琬琰，我的喜歡不會比妳少。」

知道酈靜不是個會說好聽的話哄人的人，可……真的太短，他們相逢到現在這麼短的時間，他即使喜歡她，一定也沒她多。

「不相信？」

楚琬琰輕嘆。「……相信。」很難吧……

「我想，可能是小精靈沒有受嘉勉，成不了精靈的關係吧？」他突然天外飛來一筆。

楚琬琰怔了一下，忍不住笑出來。「你把我當小蘇蕊在哄嗎？這又是哪個童話故事？」還小精靈變精靈哩！

「咦，妳不知道嗎？」

「知道什麼？」

酈靜拉起她的右手。「有人說，每個小女孩右手中指都有一個守護小精靈，守護著小女孩的幸福，隨著小女孩長大，小精靈也要受嘉勉才能有足夠的能力變成精靈，繼續守護她的幸福，於是每個長大後的女孩，都期待著那環象徵嘉勉的桂冠，讓自己能夠幸福，一直幸福下去。」說完，他取下自己左手上的尾戒，套入她的中指。「剛好！」

楚琬琰怔了怔。「你……」那時酈靜說這個尾戒是朋友送他的，要她幫他戴戴看，看她想替他戴在哪一個指頭上，只是那時的她，只敢戴在他的小指上。「這不是朋友送你的嗎？」

「是啊，先借放在妳這裡，今天跟妳說了這個故事，改天再跟妳說這枚尾戒『成人版』的故事。」等她真的屬於他的時候，他就會告訴她了。

「還有故事？」

「嗯，這尾戒的故事。」白金指環有一個很特別的名字。

他覺得楚琬琰適合典雅秀氣的戒指，婚戒還是要選她會喜歡的才好，女人對於鑽石是很迷戀的。

再找找看，不行的話，就只好麻煩老媽請她那個時尚精品名設計師的好友幫忙，對於這種事，老媽一定很樂意，不過現在之所以不找她，一來是因為她一定會「獨攬大權」，大玩特玩，到時候溫馨簡單的婚事，一定會弄得人仰馬翻，再則，以老媽的急性子，一定會立刻幫他擬出時間表，也許下半月就要他把人家娶進門！

「這樣還會不安？」

楚琬琰搖搖頭，笑著送上香吻。

心裡的不安暫時消除了，只是……還是好寂寞……這房子在短時間內又只有她一個人了，咖啡館的朋友平常也忙，誰也沒時間陪她！

「蘇蕊在她外公、外婆那兒好像玩得很開心。」這樣也好，免得一些狗仔也盯上她。

「是很開心啊，簡直樂不思蜀，壓根兒忘了還有我這個媽！」楚琬琰很哀怨的說：「我有一種被拋棄的感覺！」

酈靜忍不住失笑。

說到這個，楚琬琰是真的很哀怨，越想越淒涼——

她那對年紀輕輕就退休的爸媽，一個愛養動物，一個愛蒔花弄草，別墅後近三、四甲的山坡地，種了一堆花果，養了一群奇奇怪怪的動物，聽說上個星期，白孔雀和黑天鵝的寶寶孵出來了，小蘇蕊開心的不得了，趴在地上觀察牠們的吃喝拉撒。

為了怕這小丫頭玩到忘記她這個媽，她總不忘在每晚「熱線」時來句——「寶貝，妳都不會想媽咪嗎？」好提醒她一下。

某日母女熱線接近尾聲，楚琬琰又問：「寶貝，妳都不會想媽咪嗎？」

「想啊，好想好想！」

「那媽咪明天去接妳回來好不好？」

「不行！」

「為什麼？」

「阿彈明天會來喔！」

「阿……阿潭？」這又是哪位？

「阿公朋友養的彈塗魚，生猛活魚氧氣運送中。」

「……」

再某日母女熱線接近尾聲，楚琬琰哄道：「我知道妳想媽咪，媽咪明天去接妳好不好？」

「不行。」

再度被斷然拒絕，楚琬琰有點受到打擊，小心翼翼的說：「阿彈應該早就到了吧？」看到了，滿足了，就該回來了！

「對呀，但是彈塗魚的媽媽要生了。」

「騙肖欸，彈塗魚要在淡海水交界才能存活，即使人工飼養，也要有類似的環境吧？她家別墅在山上欸，她家老爸是花光畢生積蓄，接長管引海水入深山嗎？

「彈塗魚的媽不可能養在阿公家，不要被妳阿公騙了。」

「彈塗魚的媽是一隻三色貓，彈塗魚是牠還沒生下的孩子。」

哇哩咧！彈塗魚叫「阿彈」，貓叫「彈塗魚」？楚琬琰突然覺得腦袋一片混亂。

「那個……又不知道三色貓會生幾隻，怎麼先取名字了？」

「我和阿公說好了，彈塗魚的媽如果生一隻，就叫彈塗魚，生兩隻就叫彈塗魚一號，彈塗魚二號，三隻、四隻……就以此類推，所以牠們的媽就叫『彈塗魚的媽』。」

「……」

又某日，母女熱線再度接近尾聲……

「寶貝，媽咪好想妳喔～我……」

楚琬琰的話還沒說完，蘇蕊便先開口打斷了，「媽咪，真拿妳沒辦法欸！」

所以？小東西終於肯回她的懷抱了嗎？

小蘇蕊嘆了口氣，「媽咪，妳真的要學著獨立點，有時間我會回去看妳的啦！明天不行！明天是很重要的日子！阿黑（黑天鵝）的孩子滿月，驕傲（白孔雀）的貝比也需要我，還有阿嬤種的大福柿明天要採收、彈塗魚的媽要我做月子……很忙很忙的，妳要學著自己打發時間，知道嗎？」

懂了，她真的完全懂了！她的女兒就是不想見她！嗚～

她家老爸一定對她當年休學又未婚生女的事還懷恨在心，所以才霸佔她的女兒不還，最可怕的是，他把當初那個會寫卡片放在壁爐裡，向聖誕老公公祈願，唯一的希望就是能見到媽咪的可愛甜蜜的女兒藏到哪裡去了？快點還她女兒來！

好寂寞啊～

第七章

前幾天一通陌生來電，楚琬琰以為是打錯的電話，又怕是什麼詐騙集團，所以沒接，之後又有兩通同樣號碼的來電，她還是沒接，後來轉入語音信箱，她才點進去聽——

「楚小姐妳好，我是水谷明美，之前妳留電話給我，不知道妳還記不記得？我想跟妳分享我的喜悅，我懷孕了！很高興妳介紹好醫生給我，謝謝！」

乍聽到這帶有異國腔的國語時，楚琬琰就覺得好像在哪裡聽過，當對方說她叫「水谷明美」時，楚琬琰馬上就想起來是誰了！

這年頭還是有這麼有人情味的人！一般來說，在那種情況下認識，日後通常不會再有什麼交集，沒想到她還特地打電話來分享喜悅。

楚琬琰沒有多想，就馬上回了電話，兩人在電話中聊了一會兒，然後水谷問她，這裡有沒有什麼好吃的蛋糕店？說她懷孕後就嗜吃蛋糕，請她推薦一下。

楚琬琰直接想到于曉璐的好手藝，於是熱情的約她一起來咖啡館坐坐。

來到收容所咖啡館，楚琬琰熱情的推薦她好吃的蛋糕口味和伯爵奶茶，孕婦還是不要喝咖啡比較好。

「這家店的外觀看起來還好，可是一走進來，就覺得很舒服、很溫暖，妳怎麼知道這個好地方的？」

「這家店距離我住的地方和上班地方都很近，我也是在無意間發現的。」收容所咖啡館在擴大營業前的店面，是現在的三分之一，那時更不起眼，能發現真的需要一些緣份。

「那天去檢查，才知道楚小姐也是醫生呢！」怪不得那天秀在酈靜手機上的號碼她會有印象，原來她和「情敵」早就以很有趣的方式打過照面。

這幾天她請徵信社的人調查過了，證實酈靜在台灣的這段期間，和楚琬琰往來密切，在搬到飯店住之前，就是住在她家。

遐齡走過來點餐，看了水谷明美一眼。「新面孔。」她對新客人向來僅止於有禮，不會多說什麼。

「嗯，她說喜歡吃蛋糕，我就推薦這裡了。京德呢？」

「她最近可忙了，忙婚事、忙分店的事……」才說到這裡，眼見又有一票人進來，遐齡忙替她們點好東西回櫃台，最近來了幾個新的工讀生，她是店長得多費點心。

「妳常來這家店？」

「這裡快變成我第二個家了。」楚琬琰笑了。「對了，貝比現在幾個月了？」看她的腹部依舊平坦，應該只有兩、三個月大吧？

「十一週。」

「記得妳提過是跟著男友一起來的，他知道妳懷孕，應該很開心吧？」

水谷明美秀了下右手上的戒指，但笑不語。

「嘩！好漂亮的戒指！真的很典雅！」粉鑽耶！那麼大一顆，就她知道，八位數字應該跑不掉。「原來已經訂婚啦，那真的要恭喜妳了。」

「謝謝。」水谷明美得意的揚起笑容。「不過這戒指準備得還真隨便，還是他知道我懷孕後，才臨時帶我去挑的，那個人啊……瞧他急的！」

楚琬琰很替她開心。「他一定是等不及了，想快點把妳訂下來！」

水谷明美嘆息。「其實才不是這樣呢，我和我男友之間……是我喜歡他比較多。說白一點，一開始是我倒追他吧，等了好多年，他終於有所回應，可也只是平平順順的交往著，但這樣我就好滿足好滿足了，這個孩子，算是意外的驚喜……」說著說著，她眼眶一紅，淚水就要掉下來了，一回神，她不好意思地對楚琬琰說：「我們才認識不久，我就一直在說我的事，對不起，我只是……」

楚琬琰很能了解她的感受。「妳該多找人說說話的。」懷孕初期的孕婦情緒變化很大，非常需要親朋好友的陪伴，而且能對一個完全不熟的人說這麼多，可能平常真的藏了太多心事無人可說，想必她一定是很愛很愛她的未婚夫吧。

楚琬琰也感受過那種單戀、等待一個人的複雜心情，所以很能體會。「孕婦該保持心情愉快，這樣孩子才會健康活潑，妳如果不開心，貝比也會感覺到。」

水谷明美突然握住她的手，「楚小姐，妳真是個好人，在這裡能遇到像妳這樣的好人，我真的好開心！」

楚琬琰對她的熱情有些尷尬。「都訂婚了，妳就別想太多了，有些人只是不知道怎麼表達自己的心意，不是不愛妳。」

水谷明美垂下眼眸，搖了搖頭，像極珍視般的輕撫著戒指。「那個人條件太好，我知道我並不是他的唯一，別看他冷冷酷酷的，其實很花心，又高又帥，又是學者，還出身企業豪門，我看啊，這輩子我都無法對他放心！」

又不認識人家的未婚夫，不予置評，楚琬琰只能靜靜的聽。

基本上，水谷明美未婚夫的某些條件和酈靜還真像，她該慶幸的是，酈靜並不花心，嗯……應該是吧？然後她又想起她過著如同尼姑般清心寡慾生活的這幾年，酈靜交往過的女友……

不花心嗎？有點懷疑！真是，都過去的事了，現在還翻舊帳吃醋？無聊！

他現在對她好不好、專不專情，未來是不是能一本初衷的走下去才重要吧？沒事自己嚇自己幹麼！

也許是水谷的未婚夫讓她想起酈靜，才有這樣的聯想吧？

「怎麼都聊我的事？楚小姐長得那麼漂亮，一定很多人追吧？」

楚琬琰甜蜜的輕笑。「我已經有論及婚嫁的男朋友。」還不能算是未婚夫吧？

「論及婚嫁」四個字就像根針，狠狠刺在水谷明美的心上，她瞇了瞇眼，深吸了口氣，假裝沒事，「被妳看上的，想必是個很棒的人！」

楚琬琰笑了，也更加喜歡直接單純的水谷明美了，可關於酈靜的事，她無意多談，彼此是為了保護對方才暫時分開，不想節外生枝。

戀愛中的女人是藏不住的，雖然楚琬琰沒多說什麼，但她甜蜜的表情卻已透露了不少，水谷不滿的瞇了瞇眼，桌子下的手緊抓著裙子，連帶的抓痛了自己。

此時剛好服務生送來她們的點心，楚琬琰拿起小叉子，挖了一口草莓蛋糕送進嘴裡，邊吃邊催促，「快點嚐嚐看，這家的蛋糕很棒喔……」

水谷明美根本胃口全失，她端起奶茶啜了一口，怎知一抬起眼，就看見楚琬琰中指上的那只白金指環……

那、那是……酈靜戴的尾戒?!

雕刻大師谷天佑送給他的，那個指環酈靜很寶貝的。

她的父親也因為酈靜的關係，接觸到谷天佑的作品，非常喜歡這位華裔大師的雕刻，即使無緣為翁婿，也不減「同好」的情誼。

父親在年前才大手筆的以天價一億多美元買下大師目前最大作品——天女。

谷天佑的作品以人物為主，而且只發表過木雕作品，當父親知道酈靜的尾戒是出自谷天佑之手，還曾半開玩笑的問他願不願意割愛，酈靜當場拒絕，說那指環已有「主人」了，只是送不送得出去就不知道了。

那個「主人」……不會就是楚琬琰吧？

不管那個人是不是楚琬琰，酈靜這麼寶貝的東西現在居然戴在她手上，水谷明美嫉妒到快抓狂，但她忽然念頭一轉，說道：「……好吃的蛋糕不會寂寞。」

「妳也覺得不錯吧！」楚琬琰用紙巾拭了拭唇角，抬起頭來才發現水谷明美根本還沒有吃她面前的蛋糕，不免有些錯愕。

水谷明美一笑，環顧一下座無虛席的咖啡館。「東西好不好吃，跟著人群走就知道。」

「……理論上是這樣。」她不是喜歡吃蛋糕嗎，怎麼不吃？還有，為什麼她的臉色突然變得怪怪的？

「同理可證，好男人也不會只有一個女人喜歡。」說著，水谷明美拿起小叉子，挖了蛋糕的一角送進嘴裡。「嗯，手藝不錯，好吃。」然後又說：「楚小姐看得上眼的男人想必很棒，這年頭很棒的男人，通常不會是好男人，不，應該說，誘惑太多，就會使人性變得脆弱了。」

「……」

「……對不起，這只是我個人的遭遇，但還是希望妳多注意一下，我……沒有什麼惡意。」

楚琬琰突然覺得心裡有點不舒服，她總覺得水谷明美好像繞了一圈在損她，認真的想了一下，她說：「真正的好男人，即使身邊的誘惑再多，應該也不會受到誘惑，好男人的確也不會只有一個女人懂得欣賞，可只要他懂得欣賞一個女人就好了。」

水谷明美在桌下的手緊握成拳，手背上青筋暴突，笑得有些僵。「楚小姐能遇到這樣的人真幸福。」

看著水谷明美難看的臉色，楚琬琰忽然有點罪惡感，不免在心中暗忖，她遇到一個三心兩意的糟糕男人，又愛到無法放手的際遇已經夠慘的了，她應該只要當個好聽眾，不要加入個人意見。

她的際遇在水谷看來也許是又羡又妒的吧？就像她當年暗戀酈靜時，不也對宋芳敏羨慕得不得了。

人真的要將心比心，更何況她是懷孕初期，情緒本來就比較不穩定，她應該多包容才是，她有時候真的太衝動了，唉……於是她端起奶茶輕啜，思索著要如何開

口轉移話題時，一道高大的身影突然站在前方，楚琬琰直覺的抬頭……

察覺到楚琬琰神情不對，水谷明美也回頭。

楚琬琰訝異的低呼，「睿云?!」

盛睿云笑了。「琬琰，好久不見。」

走出收容所咖啡館，盛睿云逕自走向停在外頭等他的黑頭車，司機看到他立即欠身。「盛先生。」

「我今天不搭車，想和楚小姐散散步。」

司機把車開走後，盛睿云回頭看向楚琬琰。「走吧，好久沒一起散步了。」

「……好。」

「一個月不見了，看來妳過得還不錯。」盛睿云微側著臉看她。

以前走在盛睿云身邊，她沒有什麼壓力，可這回……壓力真大！

幾天前楚琬琰就知道他回來了，因為他在出國前，很清楚的告訴她回國的日期和班機時間，可能是在暗示她，她可以來接機。

沒有接機、沒有通電話，她以為盛睿云會知道她的決定，以後兩人就盡量少聯絡，以她對他的了解，他也不是那種當不成情人，就連朋友也當不成的小氣男人。只是要怎麼走過這段尷尬期，她覺得時間和距離是最好的方法。

結果呢？還在尷尬時期，她和他卻「提前」在咖啡館見面了。

逃避好像也不是辦法，更何況盛睿云看到她，他可以假裝沒看見，他卻過來打招呼，對於他如此大方的表現，她實在不應該畏首畏尾，免得更傷害人家。

和水谷明美分開後，看看時間也不早了，她主動去跟盛睿云打個招呼，便說要回家了，原以為他和朋友一起來，應該不會丟下朋友自己先走，沒想到他們也打算走了。

一切都是天意啊！

楚琬琰還是不太自然的回道：「還……還好。」

「剛才和妳一起的那個女的，我有點印象。」他突然說。

「男人對美女都會有印象。」取笑他。

「是真的，她和男友去挑戒指。」

楚琬琰怔了一下，有可能真的是水谷明美，本想問他水谷明美的未婚夫，看起來是個怎麼樣的人，但話到唇邊又吞了回去，她在心裡暗罵自己多事，先解決自身的問題再說吧，沒事不要那麼雞婆！

「那個……」

「後頭有狗仔，不要回頭！」方才和楚琬琰走出咖啡館時，他就隱約感覺到有人跟拍。

「咦？」

「不知道那些狗仔從哪裡得知消息，說我們好事近了，這個星期公關部就接到好幾通電話。」

「……」難怪她老覺得有人在跟拍，還以為是受了酈靜的影響，自己在那邊疑神疑鬼呢！

「放心，公關部門已經回應給各大媒體，說這是子虛烏有的事。」

「嗯。」真感謝他這麼保護她。「這……這回考察還……還順利嗎？」

盛睿云笑了出來。「妳第一次對我的工作有興趣，怎麼，開始有伴我過一生的覺悟了嗎？」

「不，我……」

由咖啡館往捷運的方向走，會經過一座公園，兩人走在公園外圍的紅磚道上，這裡光害較小，只要天氣夠好，一抬頭就可以看見滿天星斗。

「琬琰，我第一眼看到妳就對妳有好感，也忍不住告白了，可是，那時的我其實沒有那麼喜歡妳。」

楚琬琰忍不住嘀咕，「我就說嘛，哪有可能這麼容易就一見鍾情！」

「那妳猜猜，我是什麼時候開始對妳開始動心的？」

「未來。」不假思索。

「別把我想得那麼虛偽。」

「你不知道嗎？放過一次羊，終生是牧童！」

他寵溺的揉了揉她柔軟的長髮，然後說：「有一次我陪妳走這條路去搭捷運，妳抬起頭看到滿天星星，有些感觸的說：『這就像以前在美國唸書時，晚上要從圖書館走回宿舍的感覺。』

「妳說，那時常常仰著頭走路，天天期待可以看到流星許願，我問妳，妳想許什麼願望，那天妳可能在咖啡館喝了些酒，有幾分酒意，妳大方的說，像當時那樣年紀的女生會等流星，許的絕不是什麼國泰民安、風調雨順的宏願，一定和愛情有關，妳那時的笑容很落寞，但我並沒有問妳後來看到流星了沒有。

「之後我問妳，如果現在有流星可以讓妳許願，妳會許什麼願？妳的回答很有趣，妳說，希望在對的時間遇見對的人。」

說完，他看著她，微微的笑了。

「我一直以為學醫的女生都很精明，很少會看到像妳這麼天真傻氣的，不知道為什麼，妳的話讓我有點感動，很想成為那個，在對的時間讓妳遇上的對的人。」

「原來你也有這麼傻氣的時候？」說不感動是騙人的。

「時間不對可以等，可人不對……這就不是我能改變的。對我而言，妳就是那個對的人，可這個『對』字，也要對方認定才算數。」

「睿云……我的心裡面一直有個人。」

「我知道。」

楚琬琰訝異，他……知道酈靜？

「昨天我叔父壽辰，淑倩有出席，她告訴我，我遇到很強的對手，只能怪我和妳相見恨晚。」也就是那個人比他還早遇上楚琬琰？

楚琬琰的感情世界很單純，不乏男人追求，卻十分潔身自愛，他不認為她會騎驢找馬，那麼相見恨晚就只有一個可能！

他看著她。「我不知道他是誰，也不打算知道，我只問妳一件事……」

「……好。」

「那個人，是不是就是妳在美國，等待流星，想要許願得到的人？」如果是那個人，那就真的沒辦法了，因為那已經不是努力就能爭取到的問題了。

楚琬琰不免訝異，能管理大企業的菁英份子都是這樣料事如神的嗎？「對。」

盛睿云嘆了口氣。「現在的他對妳而言，真的是那個在對的時間遇到的『對的人』嗎？」

「……嗯。」她心裡是這樣認定的，雖然她對酈靜……也不知是不是因為這些日子不能像以前一樣常常聚在一塊，再加上水谷明美的話，以往那種不安，好像無法抓緊酈靜的感覺，老是困擾著她。

也許是和酈靜才剛開始的感情讓她不安吧？酈靜什麼時候喜歡她的，又喜歡她哪裡？這些問題蠢到她自己都受不了，可她還是很想知道。

不過這些都是她自己的問題，畢竟酈靜都已經回應她的感情了，她還要怎麼樣？

「那我也只能祝福了。」不能說不遺憾，畢竟，他真的很喜歡楚琬琰，可感情強求不來，莊淑倩說那個人是「強敵」，就表示那個人和他相較，絕對不遜色，可他並不會因為這樣就放棄。

他放手的最大原因，是楚琬琰的態度。

楚琬琰身邊無交往的對象，她也不討厭他，可他花了兩年的時間追求她，她仍然不動心，這種情況唯一的可能，就是那個人一直佔著她的心，不管那個人現在在哪裡，能不能屬於她。

如果喜歡的人就在身邊，那麼把她放在心上很容易，如果是遠距離交往，只要感情夠穩固，也還好，但如果彼此不屬於彼此，遠距離加上時間、外在誘惑，心上的那個位置仍是放著同一個人……那只能說，喜歡那個人已經變成生命中不可或缺的習慣，就像呼吸一樣再理所當然不過。

對楚琬琰來說，那個人就是這樣的存在，他還要去爭取嗎？

「睿云。」她很愧疚，可是……

「還是朋友。」他看著她淺淺一笑。「我們本來就是朋友，別把我當成當不成情人就連朋友也不是的那種人。」他最花心思的朋友，無緣當情人，她也還是他喜歡的朋友。

「嗯。」楚琬琰的眼眶紅了。

「琬琰，我要妳記得一件事，甩掉我這麼好的對象去愛上的那個人，我希望他是真的對妳很好，好到讓我覺得自己做不到像他一樣，要不我會輸得很不甘心，到時候不管妳的決定如何，我一定會把妳搶回來。」

聽完，楚琬琰的眼淚隨即滑落，這個盛睿云，連要她幸福都是用這種命令加威脅的方式，可她懂，又感動又難過。

這麼好的人，一定會遇到一個比她更適合的女人。「……好。」

第八章

這家國際知名的五星級飯店最有名的，就是它的法國菜和歐式自助餐，該飯店除了在國內有兩家分店，世界各大城市也有不少據點，稱得上大型連鎖飯店。

大老闆不但品味高尚，自身也是個美食家，常常邀請一些國際名廚登台獻藝，規畫的美食祭和活動常引起跟進風潮。

之前該飯店請來法國藍帶名廚烘培西點時，楚琬琰曾陪于曉璐來「朝聖」了幾次，有時醫院同事聚餐或同事喜宴，也會選在這裡舉辦，而且盛睿云對這家飯店的評價也很高，她和他也來過幾次，總而言之，她對這裡的印象還不錯。

楚琬琰走進飯店大廳，記得它的歐式自助餐是在一樓大廳右側，便轉往右手邊走，她這回來到這裡，不但是來吃飯、喝咖啡，而是還是來……約會！

酈靜下榻於這家飯店，今天是他要向她索「保養品」的日子，以往都是酈靜到她的住處找她，可今天，她很堅持要到他住的飯店找他，為什麼？

她呀，打從和水谷明美認識之後，秉持著醫者仁心的心情，總覺得像她這樣的孕婦，人在異鄉，身邊又有一個常態性出軌的「未婚夫」，壓力之大可以想像，於是她想多少聽聽她傾訴，對她比較好。

問題是，她每次聊的都是那個令她極度不安的未婚夫，像是雖然同住在飯店，未婚夫卻常常背著她講電話，明明有人傳簡訊，趁他洗澡時偷看，卻發現通聯號碼和簡訊都被刪得乾乾淨淨，又例如，未婚夫三不五時外出，一出去就是一整天，而且手機總是愛接不接的，回來時身上還有沐浴乳的味道，他們住飯店欸，他不在飯店洗澡，能去哪裡洗？更扯的是，她的未婚夫有時還會穿她沒看過的衣服回來……

一開始他什麼也不肯承認，後來被逼急了，索性認了，還說外面那個女人比她好，溫柔又識大體，明知道他有未婚妻，還是默默等著她……

水谷明美一面哭訴，還會提醒她要小心，說男人在女人看不到時，會做出什麼荒唐事都不知道，而且不要太相信男人，尤其是那種條件好、魅力十足的男人，更不可以信，要不然，信任換來的絕不是對等的自律，而是痛不欲生的毀滅！

可能因為聽了太多這樣的控訴，即使她再怎麼相信酈靜，也難免覺得怕怕的，雖然明知水谷明美的未婚夫和酈靜是兩個不同的人，可……她還是感到很不安，尤其她那句「男人在女人看不到時，會做出什麼荒唐事都不知道」不斷在她心中發酵。

她又不好意思跟酈靜說，因為他一定會覺得她不相信他，再加上如果他知道她身邊有個老是帶給她負面能量的水谷明美，說不定還會禁止她們再來往，那樣水谷不就太可憐了嗎？所以楚琬琰什麼也不敢說。

酈靜是因為怕被八卦記者盯上才選擇搬出她家，她卻和他在他下榻的飯店約會？本以為他會反對，她就想了個藉口，說想吃這裡的歐式自助餐，唔……理由雖然有點牽強，但沒想到她一提出，酈靜居然沒反對。

一樓大廳挑高，右側蜿蜒而上的階梯是樓中樓設計，自助餐場地就在那裡。

站在入口處，有人向她揮了揮手，楚琬琰快步的走過去，這時她的手機響了……是水谷明美，她嘆了口氣，但還是接起。「是，我啊，和男友約了要吃飯。」

「真好，看來妳今天是沒空陪我聊天了。」水谷明美穿著睡衣，站在飯店房間的落地窗前，她的表情並不像語氣中的那麼羨慕，而是憤恨。

「不好意思。」她不想壞了約會的好心情。

「難得見面呢，好好約會吧！對了，你們在哪裡約會？那裡東西好吃嗎？晚上想和未婚夫好好去吃一頓，最近我們的關係有點緊繃……」

「我們在風雅飯店吃飯，聽說這裡的法國菜不錯喔！」對厚，聊了那麼多次天，她還不知道水谷明美住在哪家飯店。

「這樣啊……」水谷明美垂在身側的手握成了拳。「謝謝，我知道了，祝你們用餐愉快！」怪不得方才酈靜急著下樓，只告訴她，有什麼重要的事再打電話給他，原來兩人是要約會啊！

呵呵，本來還想再多玩玩的，不過這伏筆埋得夠久，是該引爆了！

結束和楚琬琰的通話後，水谷明美走進浴室，開始做「準備」……

楚琬琰掛掉電話後，找到酈靜坐的位置，走到他對面坐了下來。「『六年』不見，你好嗎？」

酈靜失笑。「還不錯。」有趣的看著她。「妳呢？妳最近好像更忙了，有時候打給妳還會佔線呢，這一等，少說要二、三十分鐘。」他習慣在固定的時間打電話給她，而且由他打。

他雖然暫時待在台灣，但美國的研究工作和公事不可能因為他完全停擺，他還是得配合研究團隊，開視訊會議，有時候工作上需要，他還得配合其他國家的時間，曾經有一次，他連續開了四、五場會議，還有三十二個小時未闔眼的紀錄。

如果沒有特別狀況，他的作息時間還算正常，一般而言，打給楚琬琰的時間不會差太多，而楚琬琰也很習慣等他的電話。

可最近他打電話給她，卻常被別人捷足先登，有一次他甚至等了快一個小時，後來一通國際電話進來，他只好先接。

「那個……」

「如果是不方便說的朋友，我就不問。」

楚琬琰橫了他一眼。「只是一個朋友啦，她最近有很困擾的感情問題，我沒辦法幫她什麼，只好聽聽她訴訴苦。」

酈靜看著她。「別人的感情事，當當聽眾就好，別意想天開當什麼軍師。」楚琬琰感情豐富，很容易讓自己淌渾水。

「知道了啦。」突地她像是想到什麼，問道：「你為什麼沒有拒絕我跟你約在這裡，難道你不怕狗仔嗎？」

「偶為之還好，要是真的上了版面，就說和舊識吃飯。」

楚琬琰忍不住皺眉。「原來你都想好了，我還以為你打算豁出去了呢！」

酈靜笑了。「即使要豁出去，也得準備好吧！」接著他端起開水喝了一口，「不是想吃這裡的自助餐？可以開始取食了，走吧！」

楚琬琰眼尖，注意到他的手有點髒。「靜，你的手是不是沾到了什麼？」

酈靜低頭一看。「可能是我剛才列印資料時沾到墨水了，我去洗個手。」說完，他站起身，往洗手間走去。

他才離開沒多久，放在桌上的手機就響了，楚琬琰本來不打算理會，可想了一下，還是拿起他的手機打算檢查一下號碼，雖然她也不知道他平常會和什麼人聯絡，但總覺得這麼做比較安心，只是她還沒看仔細，電話就掛了，螢幕顯示變成「有1通未接來電」。

不過雖然只是一眼晃過，她卻覺得那組號碼和水谷明美的有點像，可是後面幾碼她來不及看清楚，無法確認，頓時她的心一跳，但隨即又取笑自己的無聊，她真是越來越變態了！

把手機放回桌上，等待酈靜回來的同時，她隨意看了四周一下。

不愧是知名飯店，才十一點半不到，已坐滿六、七成，看著看著，眼尖的她，突然掃到入口處，數名剛走進來的客人。

天！盛睿云?!楚琬琰忙轉頭避開。

雖然他們已經把話說清楚了，盛睿云也知道她有男朋友，可是、可是……他現在正值「失戀期」，她沒必要在這種時候和酈靜在人家的面前曬幸福吧？

厚！老天保佑，別讓他發現她！或許她該祈禱，酈靜手上的墨漬洗不掉，讓他在洗手間裡待久一點……可是，只是洗個手，也不可能待一、兩個小時吧?!

才這麼想，酈靜就回來了。「琬琰，我們去拿東西吃吧！」

「我、我好像不太餓。」楚琬琰很鴕鳥的以為坐著比較不會被發現。

酈靜聽她這麼說，只好又坐下來。「妳怎麼了，怪怪的？」

「沒……沒事啦！對了，你有一通未接來電。」

酈靜拿起手機看了眼，是水谷明美打的。「應該沒什麼重要的事吧。」如果她真有急事，以她的個性，絕對會一直打，打到他接為止，倒是楚琬琰，她現在真的怪怪的，躲躲閃閃的，表情異常僵硬，不知道到底怎麼了。「琬琰……」

「酈先生？」

酈靜聞聲抬起頭，剛好對上一張有型好看的俊臉。「你是……」

「我是翔達企業的盛睿云。」

之前在珠寶店錯失和酈靜攀談的機會，盛睿云還真有點後悔，因為這位醫學天才還真不是普通的固執，原以為只要開出來的條件夠誠意，沒道理有錢買不到專利。

但他後來才發現，酈靜的專利在美國好像只和波爾頓集團合作，和那樣的大集團合作，怪不得他看不上國內的企業。

事情有點棘手。

從學會要來的電話，總會轉給一個老外，據說是他的祕書，老外都會很客氣的婉拒所有合作的可能，要不就是請企業團體把合作企畫書E過去，但企畫書一寄過去，就等於石沉大海，根本不會有回覆。

酈靜的醫學專利獲利驚人，如果能夠談成，翔達在生化科技這塊，即使起步較晚，技術方面還是可以走在世界尖端，因此酈靜手上的專利，對於翔達跨足生化科技有很重要的關鍵。

他原本正因為無法和酈靜搭上線而著急，甚至在想，如果楚琬琰認識酈靜的未婚妻，是不是該請她幫這個忙，沒想到踏破鐵鞋無覓處，得來全不費功夫！

翔達？盛、睿、云?!酈靜的目光停留在他身上的時間不超過兩秒，接著立刻收回視線，改看著楚琬琰。

只見她的頭低到幾乎要黏到胸口，對於她的反常，酈靜似乎有點明白了，神態自若的頷首。「您好。」

楚琬琰背對著盛睿云，方才他是覺得這個女人的背影很像楚琬琰，可背影像的人其實不少，他也不敢貿然上前，直到看到酈靜，他的注意力就全放在他身上了。

如今站在酈靜斜前方，眼角餘光看到的女人，還真的很像楚琬琰！「不好意思，打擾到兩位用餐。」很自然的看了死命低著頭的女人一眼。「……琬琰？」

沒得躲了！不過一向眼力極好的盛睿云，這麼久才發現是她，已經有點不可思議了。她冒著冷汗，很尷尬的說：「那個……好巧，你也來這裡用餐？」

「妳認識酈先生？」

「他……」前幾天才拒絕他，今天就要大方介紹男友給他認識？好殘忍！

她的猶豫令酈靜的冷眸頓時射出冰刃，他淺淺的笑，態度輕鬆，替她答道：「她是我論及婚嫁的女友。」說完，他看向楚琬琰，「怎麼？盛先生和琬琰是舊識？」

這個男人絕對是故意的！平常低調得要死，卻在情敵面前耍高調，這個冰塊男其實很有心機，有夠腹黑的！

嗚～盛睿云的臉色都變了，還一直盯著她看！厚，搞成這樣是要怎麼收尾啦！

氣氛突然變得很尷尬，楚琬琰完全不知道該找什麼話題打破沉默，這時，酈靜的手機又響了，他看了一眼來電顯示，並沒有接起電話，但楚琬琰感覺得出來，酈靜很不高興，說他極度不爽都不為過。

過了幾秒，手機再次響起，酈靜才非常不悅的接起來。「有什麼事？」電話那一端傳來虛弱的喘息聲，他皺起了眉。「水谷？妳怎麼了？水谷……」

原本忐忑不安的楚琬琰聽到這個姓氏，立刻訝異的抬頭看向酈靜。

水谷？方才那通未接來電，號碼也和水谷明美的差不多，真的是……她嗎？太多太多的巧合讓楚琬琰的心越來越不安，不停狂跳著。

不！不會的，是巧合！一定只是巧合！

「……我……剛才在浴室摔了一跤……肚子好……好痛！有血……會不會流產了……」

「流產?!」鄺靜臉色一變，馬上站了起來。

水谷、流產?!楚琬琰臉色倏地刷白，彷彿隨時都會昏倒，因為她幾乎可以確定這通電話是水谷明美打給鄺靜的。

鄺靜……會是她口中的未婚夫嗎？還是……還是他們只是舊識？只是……

「我知道了，我馬上送妳去醫院！」鄺靜結束通話後，匆忙的向楚琬琰道歉，「琬琰，不好意思，我有急事，必須先離開。」

楚琬琰慌了，下意識的拉住他。

「琬琰？」

她不要他去，她要他留下來，可是她說不出口，於是她還是選擇慢慢把手鬆開。

她一放手，鄺靜馬上快步離去，後來幾乎是用跑的，他一離開，楚琬琰全身直顫抖，雙手在胸前交握，像是祈求上蒼給她更多的智慧和勇氣……

「琬琰。」盛睿云有許多話想說，可看她這樣，他反而不知道要不要說，也不曉得該從何說起。

下一刻她突然也站了起來，想追上鄺靜。

「琬琰？」她臉色蒼白得一絲血色也沒有，難不成她發現什麼了嗎？

別人的事他一向懶得去管，可現在對象是楚琬琰，他絕不能放任她不管！

外頭下著雨，又冷又濕的天氣讓人覺得……一整個淒涼。

楚琬琰呆坐在盛睿云的車上，靜默不語，她實在不想回憶剛才的那一切，可……為什麼呢？越不想回憶的事，越是揮之不去。

她看到酈靜鐵青著臉，抱著水谷明美走出飯店的電梯，兩個人一起上了計程車。

她看到水谷明美窩在酈靜懷中，哭得好傷心、好可憐……

她看到酈靜低著頭，在她耳邊說些什麼，好像在安撫她，表情看起來好溫柔……

兩人相依偎的模樣，她不相信他們只是朋友，而且他是抱著她從他住的飯店電梯出來，那不就意味著，他們是住在同一家飯店裡。

事實擺在眼前，她還需要更多的證據來證明酈靜和水谷明美的關係嗎？

飯店門口，她站在稍遠處看著酈靜，他也看到了她，但他並沒有露出偷吃被抓包的心虛表情，只是有點欲言又止，看來他仍是那個處變不驚的酈靜，那個可以把冷靜當飯吃的大教授！

在這種情況下，他怎麼還有辦法完全沒有愧疚之意的看著她？

是啊，他正忙著煩惱水谷的狀況，他們的孩子可能就要沒了，怎麼還會有餘力關心她有什麼感受呢？她真的好笨！

盛睿云把車停在她家樓下，轉頭望著坐在副駕駛座上的楚琬琰，她一路上都沒有哭，只是呆望著前方，那木然的表情像是萬念俱灰，痛到所有感覺都麻木了，這樣的她，更令人心疼。

一直安靜陪在一旁的盛睿云率先開口，「水谷明美和酈靜的事，我早就知道了。」

楚琬琰茫茫然的轉頭望著他。

「還記得那次在收容所咖啡館遇到妳和水谷明美，我說在珠寶店見過她？那時她身旁的男人就是酈靜，那天他們一起去挑戒指，水谷手上的粉鑽就是那時候買的。」

楚琬琰眼眶紅了，想起水谷秀戒指時幸福得意的模樣。

「……酈靜對她很冷淡，兩人互動也不熱絡，一直到水谷明美告訴他懷孕的事，他才露出些許的關懷之意。」

楚琬琰此時突然想起水谷明美說過的話——

我和我男友之間……是我喜歡他比較多。說白一點，一開始是我倒追他吧，等了好多年，他終於有所回應，可也只是平平順順的交往著，但這樣我就好滿足好滿足了……

「她其實也是個可憐的女人……」楚琬琰淡淡的開口，說出兩人認識的經過。

盛睿云非常訝異，怎麼有這麼曲折的事！

「真的太可笑了！怎麼有這麼好笑的事呢？我因為水谷明美的遭遇而鄙視的壞男人，和內心深感慶幸遇上的好男人，居然會是同一人?!」

「會不會……水谷明美早知道妳和酈靜在交往，所以故意搞破壞？」

楚琬琰搖搖頭。「我和她第一次見面是在超商，而且我是臨時起意想去超商換東西，即使是徵信社，也沒辦法未卜先知，那時她就買了驗孕棒，我才會為了安全起見，要她去找淑倩，還把我的手機號碼留給她。」她苦笑。

這部份也許人為無法操控，可之後水谷找上她，他可不認為事情有這麼單純。

「更何況，一個女人如果真的深愛著一個男人，怎麼有辦法花時間跟情敵成為朋友，還找情敵訴苦？」要是她，她真的做不到。

盛睿云不予置評。楚琬琰善良，自然不會將一個「可憐的女人」想的太可怕，但出身豪門的他，卻見識過女人為了搶奪男人，可以使出多麼令人難以置信的手段。

不過，不管怎麼說，如果酈靜不沾腥，也不會弄到今天這種地步。

「別想那麼多，回去好好休息。」

「……今天……很謝謝你。」楚琬琰正要解開安全帶下車，盛睿云突然伸出手，覆上她的。「睿云？」

「之前我就說過，甩掉我這麼好的對象去愛上的那個人，他一定要好到讓我覺得自己做不到像他一樣，要不然我一定會把妳搶回來。」他深情的看著她。「琬琰……我沒有辦法把妳交給一個無法專心對待妳的人。」

楚琬琰眼眶紅了，淚水不停地滑落。酈靜和水谷的事沒讓她哭，因為她知道水谷受的委屈，也知道酈靜其實是比較愛她的。

也許……他是真的愛她。

愛情很抽象，但一個人是不是真心，一定可以感覺到，就像她可以感覺到鄺靜是真心的，雖然她很矛盾也很不安，可她說過，那是她自己的問題。

在受到鄺靜背叛之外，她對水谷有著深深的罪惡感，因此那兩個人，她無法真正對誰生氣，正因為這樣的矛盾關係，讓她痛苦，卻哭不出來。

盛睿云的話卻逼落了她的淚，感情路上，她一直跌跌撞撞，老是選錯邊站，可是……即使被傷得再重，她卻從來不後悔，即使現在一個將近滿分的男人再度向她表示心意，她還是想拒絕。

什麼叫做執迷不悟？應該就是像她這樣吧。

「我……一樣也沒辦法把一個無法專心待你的我交給你。」世上哪有這樣的事？太不公平！

「妳現在心思紊亂，不用急著回答我。」

楚琬琰眼淚掉得更兇！「……笨蛋。」

「我這麼聰明的人難得笨，也沒什麼不好。」

楚琬琰嘆息。「那……我先走嘍。」

「上樓後打個電話給我。」

「好。」

楚琬琰失魂落魄的下了車，連盛睿云幫她準備的傘都忘了拿，就這樣淋著雨往前走。

盛睿云見狀，連忙拿著傘追下車。「琬琰！妳忘了拿傘了！」他撐著傘快步走到她身邊，將她護在傘下，忽然，前面鎂光燈閃了好幾下，他本能的用身體擋住楚琬琰，怒斥，「你們到底在幹什麼！」這些狗仔真是夠了！

「盛先生您好，我是×周刊的記者，可以打擾您幾分鐘嗎？」

盛睿云擋在楚琬琰前面，十分不悅，本想斷然拒絕，可經驗又告訴他，這些狗仔如果沒有掌握相當的資料，不會貿然衝出來攔人，於是他猶豫了一下，才說：「你可以問問題，但我不保證能給你你想要的答案，畢竟……有些事只是空穴來風。」

「這是當然，只是……無風不起浪，有傳言任職於××醫院小兒科的楚琬琰醫生，是翔達總裁中意的媳婦人選？」

這些狗仔居然連楚琬琰任職的醫院都調查得那麼清楚，真是……夠了！

習於應付媒體的盛睿云淡淡的開口，「是嗎？我父親親口證實的嗎？他沒跟我提過，這件事我要問問他老人家才能回答。」

「盛先生和楚琬琰小姐交往密切，是不是有結婚的打算？還是因為有什麼人介入，才導致情海生波？方才我們拍到楚琬琰小姐似乎在哭，是不是和這件事有關？」

「我想，翔達公關部已經回答過了，我和楚小姐只是朋友，看來依閣下編故事的能力，當記者實在太可惜了，要不要考慮改當編劇？」

狗仔笑開，「實不相瞞，我們雜誌社在跟拍盛先生和楚小姐的同時，也隨時在注意著酈靜博士的一舉一動。」

當狗仔提到酈靜時，楚琬琰身子頓時一僵，心臟忍不住開始狂跳，暗忖：酈靜說的沒錯，真的有狗仔盯上他們了，怎麼辦?!

盛睿云臉色微微一變，但隨即又堆起笑容，「這樣啊，那位難得一見的天才博士，我對他的八卦也很有興趣呢！」

「我們兩組人馬各自蒐集一些資料後，卻意外發現，你們四個人之間的關係，似乎比想像中的還複雜——

「酈博士和楚小姐都是哈佛醫學院的高材生，兩人又是師生，像酈博士這樣的帥哥，又是名校的天才，想必任教時一定很受女學生青睞，酈靜博士這次回台，曾在楚小姐家住了一段時間，同時還有個小女孩也跟他們一起住，說起來，那個小女孩長得和楚小姐還真像！

「至於盛先生您和楚小姐、酈靜之間的三角關係更耐人尋味！而且有趣的是，我們發現酈博士的私生活似乎也有些複雜，我們拍到他常和一名日裔女子出雙入對，該名女子似乎還懷有身孕。

「兩條線意外的成為一條，而且可能會由『純情』路線，發展成民眾最喜歡的『重鹹』口味，可事情總該聽聽當事人怎麼說，免得我們老被批評是在亂編故事。」

盛睿云正猶豫著該怎麼說對楚琬琰比較好時，躲在他身後的楚琬琰，慢慢走了出來，偷偷的深吸了口氣，鎮定一笑。

「酈靜是教過我的老師，他到這裡來，我理當好好招待他，他會住我那，早在盛先生飛往美國前，我就報備過了，至於你們說的那個小女孩……那是老師和前妻的孩子，你們這麼說會讓人誤會的。

「至於……那位日裔女子，她……」深吸了口氣，再吸。「她是老師的未婚妻，兩人應該快結婚了，如果……你們跟拍得夠仔細，就會發現，我和她三不五時會約出來吃飯喝茶……」

盛睿云不動聲色的配合楚琬琰，兩人十指交握，還不時交換「戀人眼神」。

「楚小姐這麼說，是間接承認妳和盛先生在交往嘍？」

楚琬琰但笑不語。

「不好意思，有點晚了，今天到此為止好嗎？」盛睿云本來只是想送傘給楚琬琰就回去，這下可得送她上樓，才能製造甜蜜假象了。

說不定等兩人一上樓，這群狗仔還會在樓下算時間，他待的越久，就表示他和楚琬琰的關係越曖昧，狗仔應該最希望拍到他隔天一早才踏出楚琬琰香閨，那他們就可以盡情的大書特書了。

等進到楚琬琰的家，盛睿云才問：「妳剛才為什麼要這麼說？妳該知道這麼說會有什麼後果。」他非常控制自己的怒火，她今天受的刺激已經夠多了，他不想再嚇到她。

「對不起，造成你的困擾。」

她會向他道歉，就表示她的心還在那個男人身上。為什麼要「對不起」？因為她不愛他，卻向狗仔說他們在交往？為什麼會「造成你的困擾」？因為她沒有同等的感情可以回應他？

「算了，就算妳不說，我也會給他們相同的答案，只不過，要說也應該是由我說。」

「……」

他看著她，心一陣刺痛，「妳想保護酈靜，想保住他的名聲？」一個女人可以為一個男人犧牲到什麼地步，今天他總算見識到了。

照理來說，酈靜這樣欺騙她，她有足夠的理由去找他算帳、哭鬧，可她沒有，卻還只想著要保護他，她真的讓他又無奈又生氣，卻又心疼……

楚琬琰苦笑。「那個人做的是研究工作，不是公務員，也不是什麼公眾人物，名聲對他來說……沒有那麼重要。」

「那妳為什麼……」

楚琬琰眼眶紅了。「我只是怕……」

「怕？」

楚琬琰的眼淚頓時不停地滑落，「怕……放在心裡那段最美好的日子、那段最乾淨美好的暗戀，染上了污漬……」她真的不知道那些狗仔的本事高到什麼地步，也許他們還沒查到美國去，但凡事總有個「萬一」，要是他們真的把當年的事給掀了出來怎麼辦？那真的是很大的醜聞！

只要那些狗仔追查酈靜的過去，不管他們能不能完全踢爆當年的事，但只要查得出酈靜、蘇蕊和她之間的關係……師生戀加上不倫，甚至偷腥……這些排山倒海而來的醜聞……媒體像嗜血的瘋獅，到最後情況一定會失控！然後呢，窮追猛打了一、兩個星期，緋聞過了賞味期，不再有人過問，可酈靜的名聲、小蘇蕊的恐懼，甚至她退休過著與世無爭生活的雙親……這些都不是緋聞結束，就能恢復原狀的。

她要賭嗎？不，她無力去賭，不敢也不能賭。

更何況事情要是真的被揭發了，媒體大概會放大她學生時期的事——

那個總是傻乎乎在筆記本上記錄純情點滴、在圖書館努力到深夜，步行回宿舍一路期盼著能看到流星許願，只為了心儀的教授能多注意她一些的女生……那段好像連呼吸都因為有了酈靜，而不同的自己，那段屬於年少楚琬琰的純淨暗戀……她真的不敢想像，一旦被媒體報導出來，會扭曲成什麼樣！

他不懂……「不管過去的他有多好、多令妳著迷，可現在的他完全不值得妳為他做那麼多！」

「不管現在的他變成怎樣，也無法掩蓋曾經的美好……現在的我，只剩下那些日子可以安慰自己了，只剩那些了……不要叫我放手……」她一直握在手中的美好，一直以為自己能擁有一輩子的小小幸福……

「琬琰！」他不能成為她的依賴，取代酈靜在她心中的位置嗎？

「不要再浪費時間在我身上了，我能給的你不需要，你想要的我無法給。」這是很直接的拒絕了！

「我可以等……」

楚琬琰搖搖頭。「『好事將近』的我們，日子拖得越久，你的壓力也會越來越大，只要媒體一報導出來，伯父、伯母也會開始催婚。」她忍不住嘆了口氣。「睿云，我已經讓你夠為難了，不想再害你在你父母面前更難為。」

「妳有什麼打算？」

「我想離開一陣子。」這一切實在太混亂、太痛苦，如果不遠離，她會發瘋！

「妳要去哪裡？」

「……不知道。」也許去美國……有個地方適合療傷。

「琬琰，不管妳去哪裡，我都會等妳回來。」

楚琬琰看著他，笑了。這輩子能夠認識他這麼好的人，她真的很開心，卻也傷心，前者是為自己，後者卻是為他。

「睿云，你太好了，好到……曾經我以為你有可能是我的真命天子……你是我很喜歡的朋友，喜歡到……我以為即使這輩子我不愛你，也可以很無憾的陪在你身邊，可後來我知道我錯了。」

「因為酈靜出現？」

「因為太喜歡，所以當他一出現，我的心思就會主動全部放在他身上。」就像喜歡百合的人，進了花店，會直覺尋找百合花，根本不在乎一旁的玫瑰開得有多豔麗、茶花有多新鮮。

「琬琰，我不懂……如果只是當年妳曾暗戀過他，那樣的情感怎麼會這麼深？深到……即使這男人傷了妳，妳還可以如此愛著他。」

看來不把她和酈靜的事情說出來，他是不會死心的，「如果你願意，我說一個高中女生暗戀教授的故事給你聽……」

第九章

酈靜站在飯店房間的落地窗前，焦慮的撥打同一組號碼，連續兩天失眠，讓他的俊臉出現了疲態，以往因為工作需要，連續幾天沒睡，他也不曾這麼累過，可此時的內心煎熬，卻讓他度日如年。

昨天他打了一整天的電話，但怎麼也找不到楚琬琰，剛開始只是沒人接，後來再打，則是直接轉入語音信箱，打她公寓的室內電話也找不到人，她到底去哪裡了？

前天他送水谷就醫時，在飯店大廳看到楚琬琰，她看他的神情讓他很擔心，像是被他背叛似的，她是不是誤會什麼了？可那時他急著送水谷就醫，沒時間向她解釋。

到了醫院，醫生替水谷做了檢查時，他立即打電話給楚琬琰，電話通了，卻沒人接，之後他又連打了幾通，也是同樣的情況，不管他留言或傳簡訊，她也一樣沒回。

關於水谷的狀況，莊醫生沒多說什麼，只說一切都沒問題，寶寶也很正常，至於為什麼會出血，她也頗為困惑，至少到醫院時，水谷並沒有出血現象。

而且這個莊淑倩醫生，也就是幫水谷明美看診的女醫生，水谷似乎跟她很熟，如果說水谷從確定懷孕後，就一直找這個女醫生看診，兩人變得熟稔並不奇怪，怪的是，那個女醫生對他似乎頗有敵意，每講幾句話，就要損他一下。

後來水谷在病房裡打點滴，他便到外頭繼續打電話給楚琬琰，女醫生還「特地」出來「警告」他——

「我是琬琰和盛睿云的好朋友，勸你……如果不能真心待琬琰，就讓更好的男人跟她在一起。」

酈靜怔了一下，不明白她為什麼突然這麼說。「妳覺得盛睿云比我適合琬琰？」

「起碼他不會腳踏兩條船。」

「腳踏兩條船？我以為我是個很安份的人。」

「你這人實在是——」莊淑倩氣得咬牙切齒，「要不是琬琰好心介紹水谷明美到我這裡看診，你這花心男的事恐怕還沒人知道！」

酈靜在乎的重點顯然和莊淑倩不一樣。「琬琰和水谷認識？」

哼！怕了厚！莊淑倩把她們認識的經過說了一遍。「你這種人真可怕，要不是你今天陪水谷來醫院，我也不會知道水谷肚子裡孩子的爸，居然就是你！」

「水谷這麼告訴妳的？」

「怎麼，你不承認？」恨恨的瞪了他一眼。「你最好離琬琰遠一點，哼！」說完她轉身就走。

酈靜思考了一下，水谷認識琬琰？相遇的經過聽起來不像是故意的，可水谷明美不可能知道他和楚琬琰在交往，想必一定是透過徵信社調查的。

如果她知道楚琬琰是他心愛的女人，而水谷只要扮演成一個遇上負心漢的可憐女人，不斷對楚琬琰訴說她的委屈，不知道他和水谷是什麼關係的楚琬琰，如果有朝一日發現好友口中的負心漢就是他……

酈靜越想，臉色越難看，不，楚琬琰發現了，她一定已經發現了！

他想起她在飯店大廳看著他的神情，一般女人看到男友懷中抱著另一個陌生女人，一定會馬上衝上來追問那個女人是誰？可楚琬琰沒有，她看他的眼神，有著被背叛的失望，可見她早就知道他懷中的女人是誰。

該死的！要是所有事情都和他推測的一樣……

於是他當機立斷，馬上打了通電話給水谷德雄，告知他已無心力幫他照顧女兒，希望他盡快把女兒帶回美國，接著趕回飯店。

回到飯店，他要換襯衫時才發現，經過幾個小時後，沾在他襯衫上的血仍是鮮紅色的?!他怎麼這麼笨，那根本不是血，而是紅色染劑！

水谷那個女人，八成知道楚琬琰和他在飯店約會，才故意裝的吧？

早知道這女人是個麻煩，卻不知道她這麼過份！

這兩天他拚命打電話仍找不到楚琬琰，他甚至打電話給蘇蕊，問她媽咪有沒有打電話給她，她說前天有，但之後就沒打了。

楚琬琰的手機由拒接、關機，到了今天，他一撥電話，系統居然告訴他，您撥的號碼已暫停使用。

楚琬琰把電話停了?!擺明不給他解釋的機會！

他拿起外套正準備出去找人，走出房門前，手機突然響了，一看來電顯示，是蘇蕊打來的。

「爹地，你和媽咪沒問題吧？」她都已經躲到外公外婆家，替他們製造機會了，他們不會笨到不懂得把握吧！

「為什麼這麼問？」

「有記者打電話給外公，恭喜他，說媽咪要嫁給什麼翔達少東。」

「……什麼時候的事？」

「昨天，阿公一直要打電話問媽咪，可是都找不到人，那個記者還說是媽咪自己承認的，你們之間出問題了厚？」

酈靜也不知道該怎麼解釋。「沒事，媽咪如果有打電話給妳，幫我記下她的號碼。」楚琬琰沒有打電話回家，想必是不希望父母替她擔心。

結束通話，酈靜想著蘇蕊的話。為什麼琬琰會承認和盛睿云在交往？是因為在生他的氣？不可能！如果只是為了氣他，不需要對媒體說這些，只要私下帶著盛睿云出現在他面前，就足夠讓他氣到腦充血。

那是媒體主動找上她？

楚琬琰只是個女醫生，媒體對她沒有那麼大的興趣，他們反而會對盛睿云或自己比較有興趣，而且無論媒體鎖定的對象是他，或是盛大少，一定會發現楚琬琰。在什麼情況楚琬琰會「主動承認」她和盛睿云好事將近……媒體發現他和她交往密切，而她想保護他？

老天，他這個大笨蛋！

不行，他必須先把他和水谷之間的事向楚琬琰解釋清楚，楚琬琰雖然沒特別說過什麼，可對彼此間的交往已經夠沒信心了，又被水谷這麼一攪和，她一定更不相信他了，一想起楚琬琰那時的神情，他都忍不住心驚。

門一開，只見水谷明美笑吟吟的站在門口。「靜，你要去哪裡？」

酈靜睇著眼睨著她。「去向琬琰解釋妳和我之間的關係。」以往雖然不喜歡水谷明美，可他從來沒有像這次一樣，覺得她可憎到令人想吐。

水谷有些訝異，隨即一笑。「這麼快就發現啦，天才的腦袋果然不同，我以為等你發現楚琬琰為什麼要躲著你，可能還需要一段時間呢！」她已經不想去猜到底是誰洩了她的底，光是想到記者找她時說的話，她就知道目的達成了。

「妳的心機真是深沉到令人作嘔！」

水谷明美臉色一變。「我得不到的，也不許別人得到！」

「大概只有妳這種女人才做得出損人不利己的事！」酈靜咬著牙，不想再和她多說什麼，如果她是男人，他一定會毫不猶豫狠狠揍她一拳。「讓開！」

水谷明美篤定他不敢動她，堅持不走。「告訴你一件事，你再決定要不要現在去找她。」說完，她慢條斯理地走進他房間，悠哉的坐到床邊。

酈靜站在門口瞪著她，想看看她到底還會說出什麼話來。

「剛才有位自稱是×周刊的記者打來問我一些事，說他們本來有兩個企畫，一個關於翔達少東的真命天女，一個關於天才醫學博士酈靜，可卻意外發覺這兩個企劃中的人物居然有所重疊……

「還說是楚琬琰主動澄清，說她和盛睿云好事近了，聽說那一晚，盛大少送楚琬琰回公寓，直到深夜才離開，兩人獨處了將近五個鐘頭……那個盛睿云我在咖啡館見過一次，高大帥氣，重要的是，他相當喜歡楚琬琰呢，既然楚琬琰都回應他了，那五個小時……想像空間很大喲！」

楚琬琰那個笨蛋，都這種時候了，還只想著要幫他，他知道她為什麼會對記者那麼說。

但水谷明美不明白，依舊得意的笑嘆，「楚琬琰這麼快就喜歡上別人了，原來你們的感情這麼經不起考驗吶！呵呵……那時候我一再向她哭訴遇人不淑，且要她小心那種條件太好的戀人時，她還對你信心滿滿哩，我在飯店大廳看見她那深受打擊的表情……呵呵……痛快，真的好痛快！」

酈靜冷冷的看著她，手上的拳頭握了又鬆，鬆了又握，額上的青筋暴凸。楚琬琰的傷化為他心裡最沉的痛，痛到了極點，人類潛意識的野蠻個性會被喚醒，他鐵青著臉，用盡所有理智，才能讓自己不出手打水谷明美，他不停地深呼吸，胸口起伏得厲害。「妳真的讓我看到人性最醜陋的一面！」

「起碼我圖了個痛快，而你心中那個最美、最善良的女人又如何？也許現在正躲在哪個不知名的角落痛哭，不過，好人有好報啦，她痛哭時，旁邊還有個帥哥為她遞衛生紙，順道提供溫暖懷抱，這樣也不錯。」

這個女人瘋了！酈靜只能把她當成精神病患，才能抑制住自己怒火不再往上飆。「妳說完了沒有？」

他還想去找楚琬琰?!「你知道那記者和我約好下午要見面嗎？他想採訪我，你想，如果我向那些記者哭訴，說其實楚琬琰就是介入我們之間的狐狸精，甚至幫他們加點料，說她在唸哈佛時，行為就非常不檢點，介入你的婚姻，導致你和前妻離婚，你覺得……這篇報導會多吸引人？」

當年的事，酈家對外一概守口如瓶，就連親朋好友都不知道，水谷明美自然也只能就她知道的亂拼湊，可正如她說的，她如果亂放話，反正他遲早會回美國，這個風波鬧得再大，對他的影響可說是微乎其微，可楚琬琰呢？她的父母呢？

但如果現在就被水谷明美掌控住，以後她就會一直拿這件事來威脅他，說不定還會傷害到楚琬琰。

酈靜冷靜的看著她。「嘴巴長在妳身上，妳愛怎麼說就怎麼說，妳的謊言最多再維持七個多月，等孩子生下來，驗了DNA，大眾就會知道妳肚子裡的孩子不是我的，我們分手這麼久了，就算在一起時，也沒發生過親密關係，妳怎麼可能會懷上我的孩子！當然，妳也可以說，到那時候妳的目的已經達成，什麼都無所謂，可是我告訴妳，妳就等著妳父親用公司名義，為妳惹出的風波登報道歉吧！」他冷笑。「妳父親有心臟病，妳應該沒忘記吧？」

水谷明美臉色一變。「你不會這麼做。」

水谷明美的母親早逝，從小就和父親相依為命，也許是因為父親過度寵溺，才會造成她人格偏差，可她會傷害任何人，唯獨不會傷害她父親。

「以前的我的確不會，可現在……妳說呢？」說完他便離開房間，決定先找到楚琬琰，向她解釋清楚後，再商量下一步要怎麼做。

水谷明美哪會這麼快就認輸，她快步追上酈靜。「你不准走！」

酈靜原本要搭電梯，又怕電梯裡人多，和水谷明美拉拉扯扯的很難看，於是他改走安全梯。

水谷明美在他要打開安全門時一把拉住他，用力喘著氣說：「你答應我爸爸要照顧我的，如果、如果我有任何閃失，你對得起那麼照顧你的長輩嗎？」她知道酈靜對她一直沒有什麼好感，能躲多遠就躲多遠，可他居然答應父親要照顧她，可見父親對他還是很有影響力的。

「妳能有什麼閃失?再假裝流產?」

「那次是假的，但這一次，只要你敢走出飯店，我就從這裡跳下去，你說，這回會是假還是真?」

「水谷!」

水谷明美揚高臉得意的笑，一隻腳還挑釁的故意懸空，看著她那美麗絕倫的外

表，實在很難相信她居然會說出這麼惡毒的話，就只因為她的自私。

但有個女人卻可以為了保護他，做盡傻事……

「我再說一次，如果你堅持要出去，我就從這裡跳下去！」她就不信他不妥協。

連日來的焦慮和不安，讓酈靜的忍耐到了臨界點，水谷明美一再的挑釁，讓他緊繃到極限的理智倏地斷裂。

「妳如果這樣跳下去，頂多受點小傷，死不了，我來幫妳！」

他突然緊抓住水谷明美的後衣領，用力的將她往前提，有幾秒的時間，水谷的雙腳是完全離地的，又斜又深的階梯，嚇得她尖聲亂叫。

「不要！不要——」她本能死抓著酈靜不放。

「妳不是要跳？跳啊！」

「啊——不要不要……我不要死……我還不想死啊……嗚～」

酈靜將她拽住，往後一拉，讓她的雙腳重新著地，她嚇到腿軟，整個人癱坐在地上，痛哭失聲，她從來沒想過斯文的酈靜會變得這麼恐怖，有幾秒的時間她以為自己死定了……

酈靜冷冷的開口：「妳肚子裡的孩子，妳不可能不要，甚至還十分珍惜，因為這很有可能是妳唯一能生孩子的機會。」

水谷明美訝異的抬起頭看向他。

「我不說不代表我不知道。」他蹲下身望著她，眸光依舊冰冷。「妳父親請我無論如何都要幫忙，可說真的，只要我拒絕，他也莫可奈何，我是因為欠他人情，才會答應，他也清楚這些年來，我也是因為這樣才會一直包容妳。

「幾年前他心臟病發，加上年紀大，幾位心臟權威都不敢貿然動刀，以他當時的情況，不動刀，了不起再撐半年，那時是我花了十幾個小時替他開刀，算起來，我還救了他一命，若真要論人情，其實早就一筆勾銷了。」

這下換她沉默了。她記得那十幾個小時的煎熬，那時她只能把全部的希望都寄託在酈靜身上，還記得麻醉退了之後，父親睜開眼看著她，父女倆相視不停地掉眼淚，父親說的第一句話就是──我們能繼續當父女的緣份，是酈靜給的。

這樣莫大的恩情，隨著日子一天天過去，她感情的不順和對跟酈靜那段情的懷念，她的心開始變得扭曲醜陋。

「我會答應照顧妳，除了因為妳，還有一個原因。」他的表情不若方才冷漠。

「一個身在異鄉、舉目無親的孕婦，最是需要關懷的，如果有人肯伸出援手，對孕婦來說是多麼溫暖的事，我曾經很感激這樣一個朋友，所以，如果有機會這麼做，我也會盡力提供援助。」當年如果沒有谷天佑，琬琰受的苦會更多，他只是把受自於他的感激化為動力，回報在其他人身上。

水谷明美仍然保持沉默，但看得出來眼眶紅了。

他看著她。「不要再招惹我了，我已經打電話通知妳父親，他這一兩天可能就會帶妳回美國，妳……好自為之吧！」

看著酈靜離去的背影，水谷明美心裡忽然充滿罪惡感，因為酈靜，也因為……楚琬琰。

「小姐，這是我認識的婦產科醫生，是女的，人很好，剛剛撞到妳我很不放心，妳可以去找她檢查一下，就說是楚琬琰介紹妳去的。」

這段話讓她們相識，卻也讓她有機會一再的傷害她。

「……對不起……真的對不起……」

盛睿云結束會議後，祕書很興奮的告訴他，有貴客在會客室等待，透過玻璃窗，他看到了所謂的「貴客」，本想轉身離開，可又忍不住滿腔的怒火，非損他幾句不可，再加上楚琬琰請他幫忙轉交東西給他，他本想叫祕書寄去飯店，但現在那個人不請自來，他正好可以完成所託。

回辦公室拿了東西後，他來到會客室，推門而入，開門見山的說：「酈博士是來和我談專利合作的嗎？」

「不是。」

「既然如此，我不覺得我們除了公事之外，還有什麼私交。」

盛睿云會有這樣的態度，酈靜完全可以理解，他也不生氣，畢竟他今天來，是真的有求於人。「我今天來，是想請問盛先生，是不是有琬琰的消息，或是聯絡電話？」他到楚琬琰住的公寓，問過其他鄰居，他們都說好多天沒看到她了，最後一次看到她，她提了一個好大的行李箱，可能要遠行。

楚琬琰要去哪裡？他問過所有可能會知道的人，但沒人曉得，她甚至向醫院遞出辭呈，不過醫院那頭暫且以留職停薪處理。

為了避免蘇蕊捲入這場是非，再加上他幫她安排動第三次手術的日子也快到

了，他就讓她的外公外婆先帶她回美國。

試過各種方法都找不到楚琬琰，盛睿云是他最後的希望了。

「沒有。」盛睿云語氣淡漠，接著從口袋摸出一只銀色的小盒子。「不過，她有交代要我把這個東西轉交給你。」

酈靜怔了一下，取過盒子打開一看——他曾經親手套在她中指上的戒指。

「……謝謝。」

「連戒指都還給你了，你覺得我即使知道她的消息，還有必要告訴你嗎？」

「如果你真的是琬琰的好朋友，就應該告訴我。」

說到這個他就一肚子火！「如果真的是她的好友，我就該保護她，不讓她再被你這個混蛋傷害！怎麼，傷她這樣還不夠，還要找她做什麼？」

「解釋。我欠她一個解釋。」

「不必了，她不想聽。」

「她可以為了保護我，向媒體承認和你正在交往，我想她會需要這個解釋的。」

「你太自以為是了，多年前你這樣傷害她，多年後又發生劈腿事件，你以為她放在你身上的感情，加了大量防腐劑，永遠不會變質嗎？」

「她告訴你當年的事了？包含……」

「你們有個女兒？」

想到這個盛睿云更火，原來那個記者口中和楚琬琰極為相似的小女孩，真的是她的女兒。楚琬琰那麼年輕就幫酈靜生了個孩子，而且過程還這麼……令人心疼。一個女人到底要多愛一個男人，才有辦法做出這種傻事？他知道楚琬琰為什麼要告訴他這些，她用這種方式在告訴他，她曾經用她最瑰麗的歲月去愛一個人，那樣的歲月不可能重來，那樣濃烈的感情也不可能重來。

曾經滄海難為水，除卻巫山不是雲。

她當然可能再次喜歡上一個人，可只要酈靜出現，她的心又會跟著他走，她太清楚這樣的自己，所以拒絕了他，希望和他當一輩子的好朋友。

「怎麼，因為她對我的信任而吃醋了？」

酈靜搖搖頭。「不，對我來說，琬琰告訴你當年的事，只有一個意義——你徹底的被拒絕了。」

這男人是故意來挑釁他的嗎？

「她會告訴你這件事，雖然看得出來她十分信任你，但她也表明了，不要你再繼續喜歡她。」

「你今天是來損我的嗎？」

「我以為剛好相反。」

「你說再多也沒用，琬琰的事我不知道，更何況，你有什麼資格跟她解釋？解釋就能減低你用情不專的罪，減輕她受到的傷害？」盛睿云不屑的冷笑。

「水谷明美說的話全是假的。」

假的？呵！「我不是琬琰，不必浪費你的口水向我解釋！」

不理會盛睿云冷嘲熱諷，酈靜極有耐心的跟他解釋水谷明美的謊言。

聽到水谷明美如此耍心機時，盛睿云怔了一下，其實他也這麼想過，只是沒想到，水谷明美竟比他想像中的還要更壞，那時他還想，如果酈靜管好下半身，也沒有女人會這麼可怕，沒想到她才是造成這團混亂的罪魁禍首。

當然，酈靜很有可能也在編故事，可……沒這個必要啊，都鬧成這樣了，他沒必要再說謊。

「你為什麼要跟我說這些？」

「你是關心琬琰的朋友，起碼讓你知道，她喜歡的人沒有太差。」

「哼！」

鄺靜說完，站起身便打算離開，既然盛睿云不肯幫他，他就只好再想辦法，不管怎樣，他一定要找到楚琬琰。

盛睿云冷哼一聲，「你找不到她的，連我都不告訴你了，我不相信你有辦法找到她。」

「事在人為。」

「如果她躲你一輩子呢？」

「那麼我一樣可以用一輩子的時間去找她。」

盛睿云一聽，心頭頓時一怔，放緩了態度，淡淡說道：「她出國了，至於什麼時候出去的、去哪裡，我就真的不知道了。」他在心中一嘆，如果楚琬琰想要的感情只有這個男人可以給，他還是希望她能快樂。「很抱歉，幫不上忙。」

「還是謝謝你。」

走出翔達大樓，外頭的陽光刺眼。

楚琬琰出國了，會去哪裡？

人類是一種有趣的慣性動物，得意時，往往喜歡回到不得意時常待的地方，去享受被別人羨慕的勝利感覺，而失戀的人，常會回到和情人濃情蜜意時，一起走過的地方……

那麼覺得被他背叛的楚琬琰，究竟會去哪裡？哈佛校園，抑或……谷天佑那裡？

尾聲

美國

坐落於美東郊區佔地甚廣的二樓東方建築。

仿唐式的古色古香建築裡，幾乎清一色的原木建材，點著小燈籠的木質長廊，還是那樣充滿懷古幽思，由鏤雕東方花鳥圖案的窗櫺望出去，翠綠的觀音竹仍昂然立於亭園造景的鯉魚池旁。

這裡沒變，一點都沒變！再繼續往前走，來到最靠近禪房的一個房間，偌大的和室房，中間有一張矮桌，一個老人正盤坐在桌前品茗對奕。

楚琬琰有趣倚著門，看谷天佑下棋。「這裡都沒變！景物沒變人也沒變。」

谷天佑抬起頭，看了她一眼。「就是因為這樣，妳才想要回來啊。」這丫頭三天前拖著一只大皮箱出現在天佑軒前，他正納悶的想說「算你狠」怎麼狂吠的追出去後，就沒了聲音，原來是看到熟人了。

多年不見的好朋友當然相見歡，可他很快就察覺她不快樂，但她不說，他也不問，他的急性子用在丫頭身上完全行不通，反正哪天她想說，她自然就會說了。

楚琬琰走了進去，坐了下來。「是啊，因為這裡沒變，我才想回來。」老人家為她倒了杯茶，她低聲道謝。

「感覺得出來，妳這次回來很不開心。六年前妳住在這裡，起碼妳的心情不差，但現在妳的眼神完全失去昔日的光彩，妳是怎麼了？」

楚琬琰把孩子生下來之後，就回學校繼續完成學業，畢業後回到台灣，這幾年來，逢年過節她都會寄卡片給他，有時也會寫信，或是寄名產什麼的，可他發覺楚琬琰絕口不提情事，只談到工作、心情，或是哪裡的咖啡好喝，在那家名叫「收容所」的咖啡館遇到幾個交心的朋友……

報喜不報憂，是她的習慣。

他多少猜到她的心思，也知道「酈靜」這兩個字是她最大的忌諱，既然她下定決心遺忘，曾親眼目睹她苦戀的谷天佑自當成全，也因這樣，後來發生了一些事，他也沒對她提起過，那就是——繼遇上她這個傻瓜後，他又遇上了另一個傻瓜！

楚琬琰苦笑。「當年離開美國後……我以為不會再遇到鄺靜，可……緣份真的好捉弄人……」她告訴他小蘇蕊到收容所咖啡館，以及之後發生的所有事，說到水谷明美的事時，她心酸得淚下如雨。「……如果緣份到我離開美國後就結束，我現在是不是就不會這麼痛苦了？」

她邊講邊哭，有一度還哭到無法說話，所以這故事花了一個多小時才說完。

「我倒認為鄺靜不是那種會腳踏兩條船的人。」

「你知道的鄺靜都是聽我說的。」

「連妳都懷疑曾經喜歡過的男人？還是妳花了三年，每次鄺靜鄺靜的叫，是叫心酸，欺騙我感情用的？」

楚琬琰嘆了口氣。「這段感情本來就有隱憂吧……我和鄺靜重逢後，感情進展得很快，我很快喜歡上他，這可以理解，因為那只是接續多年前的愛戀，可鄺靜……他以前根本不知道有個笨蛋喜歡他，可自從知道我是蘇蕊的媽咪後，重逢沒多久他就說喜歡上我了，這樣的喜歡……我即使感覺得到他的真心，卻也很不安。」

谷天佑一怔。「那傢伙……不，酈靜什麼都沒說過？」

「說過什麼？」

厚！那個酈靜，他名字裡雖然有個「靜」字，但沒人要他當啞巴。

「三年前，我和一個企業界的朋友打賭輸了，作品得在他開的藝廊展出一個月，而且我還得當解說，那時作品數量不夠，只好把妳的那尊『靜』也拿去參展。

「有一天藝廊來了個年輕人，那人俊美得太醒目，剛開始我還以為是哪個偶像明星，可託妳三年來訓練出來的『好眼力』，我第二眼就認出他是酈靜。

「他很仔細的欣賞我每一件作品，然後他看到了那個名叫『靜』的作品，反覆看了很久，第二天、第三天……幾乎每一天他都會來。

「突然有一天，我因為很無聊，就走過去問他，會不會覺得那件木雕作品很像他？他說很像，可是應該不是，我又問他，為什麼這麼說？

「他回答，在這之前，我們並沒有接觸過，但這作品蘊含著太濃厚的情感，像是朝夕相處很久才有辦法表達出來的情感、神韻。

「酈靜的話令我對他刮目相看，原以為他是個高傲冷漠、恃才傲物的傢伙，可那樣的人沒有如此纖細的情感，所以我告訴他，那件作品是在雕他沒錯，只是我是透過一個女孩的眼睛在看他。」

「佑伯。」

「我告訴他妳如何形容他，妳知道他什麼事，他的習慣、嗜好……知道他嗜喝純藍山、知道他最喜歡吃鳳梨蝦球，妳努力當上班代，只是為了能比其他同學多些時間和他相處……

「然後他告訴我，每個禮拜他都會來拜訪我，請我把所有關於妳的事都告訴他，我問他，再長的故事一兩個小時就能說完，為什麼要分好幾次說？那傢伙也很妙，他告訴我，每個星期妳來找我說著他的事，都是妳『蒐集』了一個禮拜的心情，他想慢慢的聽，就當他錯過了最好的風景，回眸時才驚覺，請我再幫他重拾一次妳那時的心情。

「之後，他就像妳一樣，每個禮拜風雨無阻的出現在這裡，後來我把那尊木雕送給他，那個作品本來就是妳當年要送給他的，但因為很多原因而一直放在這裡，沒送出去。

「他每個星期會在這裡住兩晚，就住在妳以前住的房間，我看他常常靜默不語的看著那尊木雕，想必是想透過作品呈現的感情，去尋找他來不及參與，稍縱即逝的美好吧……

「重逢後他告訴過妳，他從朋友那裡得知妳在××醫院的小兒科任職，妳常去的咖啡館叫『收容所』、妳過得很好……那個『朋友』，就是我。」

「原來是你！我當時覺得奇怪他怎有辦法找到我。」她以為他找徵信社調查。

「妳說酈靜劈腿一個叫水谷的女人，那女人還懷有身孕，我倒覺得不可能，若他是這麼糟糕的男人，沒必要每星期開那麼久的車來找我。ㄚ頭，他連續三年都這麼做吶！別告訴我像他這樣忙到要死的人，還有那麼多時間能泡妞談戀愛。」

聽了這些事後，楚琬琰的心很亂。她從來都不知道酈靜做過這樣的事，她一直以為是兩人在台灣重逢後，酈靜才喜歡上她的，也因為這樣，她的心總是不踏實。

原來他早就對她心動了，可他心動之際，居然是她下定決心要對他死心的時候，他們之間……為什麼總是錯過？

「妳說的那個水谷，不會就是水谷德雄的女兒，水谷明美吧？一個身材高䠷、皮膚白皙，說話有點異國腔的東方女孩？如果是她，那就更不可能了！那女孩和酈靜家是世交，女孩的父親把酈靜當兒子般疼愛，在兩家長輩促成下，他們曾經短暫交往過，可因為水谷明美不喜歡蘇蕊，兩人就沒繼續交往了，不過，那也是四、五年前的事了。那女孩交友複雜，我和她父親有點交情，他也很頭疼呢！」和當年的楚琬琰一樣，他後來也成為酈靜傾訴的對象，所以他也知道不少酈靜的事。

「……」

「妳啊，不是我在說，實在太善良單純，根本不知人心多複雜。」不過如果照楚琬琰這麼說，水谷明美很有心機吶！「咦，妳有看到酈靜左手上的尾戒嗎？」

「一個白金指環嗎？他套在我中指上，不過事情發生後，我就請朋友幫我還回給他了。」她拜託盛睿云的事，她相信他一定會做到。

「妳……他沒告訴妳，那戒指是我送他的，還有一個特別的名字嗎？」

楚琬琰搖搖頭。「他是有提過戒指有個特別的名字，而且還有故事，只是沒來得及告訴我，就發生水谷明美的事。」

「那只大悶燒鍋，嘖！」

「那戒指有什麼故事？」

「戒指是我的作品，故事卻不是我賦予它的，妳該去找酈靜說給妳聽。」他嘆息。「看不出他那個冷冰冰的傢伙，居然那麼感性，他住在這裡的時候，有時會寫些手札、小詩，曾給我不少創作靈感，我說妳啊，好歹聽聽酈靜怎麼說。」

此時，從二樓傳來的手機鈴聲打斷了兩人的談話，楚琬琰的號碼是新辦的，知道的人不多，想必是重要電話，於是她快步的奔上樓……

「這丫頭！」

這時門外的「算你狠」又邊狂吠邊往外跑去，只是沒多久，兇狠的警告叫聲變成「嗚嗚」的撒嬌聲。

這一回又是哪個熟客來了？谷天佑走出屋子，慢慢的走向門口，門一開，高大的人影讓他一怔。「咦？你──」

楚琬琰衝上樓後，手機鈴聲就停了，她看著螢幕上顯示的未接來電，是一組陌生的號碼，對於陌生的電話她一向懶得理會，可不久就有語音留言的通知訊息傳來，她雖然納悶，但還是決定打開來聽──

「楚小姐，我是水谷明美，請不要馬上按刪除鍵，求妳……傳這些留言不是要跟妳訴苦，而是道歉，為我在台灣對妳撒的謊而道歉，孩子……不是鄺靜的，我和他也沒在交往，他會住到飯店去，只是因為答應我爸爸要照顧我，方便就近照顧……」

第一通留言，水谷明美哽咽的向她解釋和道歉。

「……妳的新手機號碼是我父親動用了一些關係幫我查到的，請放心，我不會再打擾妳了。很抱歉，因為我的自私造成妳對酈靜的誤會，他真的很愛妳，再一次跟妳慎重的說聲抱歉……」

聽完了兩通留言，楚琬琰怔怔然的闔上手機……

在她還在恍神之際，突然聽到敲門聲，她本以為是佑伯，連忙回過神來。「門沒鎖，請進。」但一抬頭看向來人，她卻怔住了。「你……酈靜?!」

他一臉風塵僕僕，一個箭步向前，將她緊緊摟進懷裡，有些沙啞的說道：「如果再找不到妳，我就真的不知道該怎麼辦了……」

那種每找個地方就撲空的失落，一次比一次更沉重的心情，真的會把人逼瘋。

楚琬琰眼眶含淚，回抱著他。「我回到這裡，原本只是想藉由曾經的美好來療傷，卻沒想到聽到另一個傻瓜的故事。」抬起頭看他。「重逢時，為什麼不告訴我這兩三年的事？如果我沒回到這裡，是不是就錯過了？」

「妳不也什麼都沒說的暗戀我好多年？更何況，一開始什麼狀況都還不知道，那些……只會造成妳的負擔。」接著，他突然想到來這裡的目的。「琬琰，有些事妳心須聽我解釋。」

楚琬琰有些尷尬。「……那個……我知道是我誤會你了，水谷明美剛剛有留言給我，她向我解釋了，還跟我道歉。」

酈靜看著她。「不需要我解釋了？」

楚琬琰臉紅了，掄起拳輕捶了他一下。「……戒指……白金戒指……有什麼典故？它叫什麼名字？」

「我住在這裡的時候，就是住在妳住過的房間，妳請谷老替我雕塑作品時，有幾張相片還留在他那裡，他把照片收在這裡的抽屜裡，有一次我無意間看到，其中有一張照片是我回眸時的樣子，於是我想到讀過的一篇文章，隨手就寫下一段文字，谷老看了，就做了那枚戒指。」

「你寫了什麼？」

酈靜放開她，從一旁書櫃最底層抽屜拿出那本手札翻到其中一頁後，遞給她。

她接了下來，看著上頭剛勁不失秀逸的字跡——緣續。

云云眾生中，每天都有人和自己擦肩而過，誰也不曾為誰佇足，甚至停留。傳說，人海中一回眸的緣份要修五百年，如果我的一回眸是因為妳五百年前修來的……那麼我也願意花五百年的時間讓妳回眸看我，只求彼此的緣份不只一眼瞬間……

看完，楚琬琰忍不住落下淚來。「我們差一點又錯過了彼此。」

「上天多考驗了我們一回，就注定彼此的緣份會更深。」

「對不起……」

酈靜輕吻她的額，接著從口袋中摸出一只戒指。「原本這個『緣續』的緣由是要等結婚那天再告訴妳的，既然妳先聽了，就表示妳答應我的求婚了。」說完，他再度替她套上戒指。

楚琬琰又是感動又是感慨。

「出發到這裡之前，我先回家一趟，蘇蕊聽完水谷明美的事之後，就像隻老母雞一樣數落了我一頓。」

「是我的錯，她為什麼罵你？」

「她說是我的『多金』才會害她的媽咪跑了！」

「多金？」

「她用『沉默是金』在損我，她說，要不是我什麼都不肯說，也不會這樣。」

楚琬琰笑了出來。

「下星期她要動手術了，她告訴我，如果我找不回妳，她下個禮拜也不要開刀。」那個聰明到惱人的小東西！「她還說，如果找到妳，妳還是不肯理我，就要我把她之前許的三個願望中的另外兩個告訴妳。」

第一個願望是見到她，第二、三個呢？「是什麼？」

「第二個願望……希望爹地和媽咪能夠結婚。」

楚琬琰怔了一下，想到小蘇蕊的願望，有點心酸，怪不得那個時候酈靜只跟她說第一願望，想必第三個更為難當時的酈靜。「第三個是什麼？」

「希望她第三次開刀時，弟弟或妹妹已經養在媽咪的肚子裡。」

酈靜說完，楚琬琰的臉紅了。「那個……」

「第二個願望好辦，至於第三個，那不是想要就能有的。」

「……」說到這個，她的MC好像慢了好幾週了欸……她對這種事天生少根筋，如果酈靜不提，她都忘了。

她和酈靜重逢後的那個停電夜是危險期，再加上那種突發狀況，誰還會記得準

備小雨衣？之後酈靜有提醒她要吃事後避孕藥，但她忘了……不！從那天到現在都沒記起過……然後她的 MC 也沒來……

我、的、天！

「酈……酈靜！」

「怎麼了？」

「小蘇蕊放許願卡的壁爐在哪裡？」

「咦？」

「我也要去許願！」

「……」

別忘了還有其他敗犬收容所的愛情故事等著你～

＊新月春天系列 R192 敗犬收容所之一《敗犬的一夜婚》

＊新月春天系列 R207 敗犬收容所之二《非典型仙人跳》

2011 書展活動

2011 **新月**以文字和創意，精心打造了一座——

魔幻伊甸園

2011年2月9日(三)～2月14日(一)

於**世貿二館** 限時開放！

一年一度的書香盛宴即將展開，

新月準備了開門七大優惠等你光臨！

壹 書展現場書籍75折(註)，首賣書八折。給你最直接的優惠！

(註)月光之城系列作品、周邊商品、優惠套書恕不適用。單筆消費**500**元以上即可刷卡。

貳 滿額好禮大方送！

書展現場購書滿額，多項好禮歡喜帶回家——

購書金額	滿額禮
不限金額	即贈草莓妹2011兔年日誌(送完為止)
500元	魔幻伊甸園木質紀念明信片
1000元	魔幻伊甸園木質紀念明信片＋草莓妹魔幻袋
1500元	魔幻伊甸園木質紀念明信片＋草莓妹魔幻袋＋草莓妹書套一組(10枚)
2500元	魔幻伊甸園木質紀念明信片＋草莓妹魔幻袋＋黑貓宅配券一張
3500元	魔幻伊甸園木質紀念明信片＋草莓妹魔幻袋＋黑貓宅配券一張＋月光兔PVC鑰匙套
5000元	魔幻伊甸園木質紀念明信片＋草莓妹魔幻袋＋黑貓宅配券一張＋月光兔PVC鑰匙套＋金雀皇朝閃金書籤＋草莓妹書套2組(20枚)

參 伊甸園巡禮

書展活動期間，誠摯邀請你到新月展場和我們一起遊戲！伊甸園裡處處藏驚喜，等你來發掘，還有草莓妹專屬禮品讓你帶回家！

肆 福氣「袋」著走——名家個人系列暢銷組合

精選2010年各系列名家個人暢銷系列，書展祭出超值優惠價，收藏好書就趁現在！

※詳細優惠書目請上新月家族網站查詢。

伍 Magic hour——星光市集擴大營業！

書展活動期間星光場時段（2/11～2/13下午6：00～10：00），
精選每日人氣商品及草莓妹百元福袋限時販售，越夜越優惠。

陸 2011新款周邊限量販售

今年的草莓妹與月光兔很魔幻！新月限量推出草莓妹與月光兔限量周邊，最有紀念性的木質明信片、最環保實用的魔幻袋、最Q的心情門把吊牌、在伊甸園裡等你喔！

柒 老朋友便利貼——

◎ 月光之城折價券

藍色的專屬折價券，書展現場月光之城系列作品全面**8折**，持折價券每本書可折抵10元書款，每本限用一格，買越多，折越多！

◎ 人狼版或經典版集點卡

人狼版、經典版集點卡帶了沒？記得帶著點數卡，集滿5點、7點、10點即可於書展現場兌換獨家好禮，快速又方便喔！

◎ VIP專屬95折優惠卡

如果你是新月家族網的白金會員，或是持有專屬折扣回函卡，於2011台北國際書展活動期間，持卡至新月展場購書，可享結帳金額再95折的優惠！

※單筆消費限使用一張；結帳時請提前出示折扣優惠卡。

★熱力預告——熱門大手簽書會熱情啟動！

♥ 新月八大人氣名家輪番上陣，就怕你不來！

2011年2月12日(六)

13：00 女巫的花園簽書會～黎孅、蜜菓子、夏晴風

14：30 催淚天后 千尋

15：30 愛情烘焙師 陽光晴子、治癒系天后 綠光

2011年2月13日(日)

13：00 驚悚鬼才 笭菁

15：30 最深情女王 淺草茉莉

更多2011台北國際書展及【春・賞書節】線上書展相關訊息，
請上新月家族網www.crescent.com.tw 查詢！

即使變了容顏，仍記得妳的眼！

花園最深情女王

淺草茉莉

2011年最令人屏息以待　愛恨糾葛的宮廷鉅作——

花園1484、1485

《真皇假后》上・下

她從沒想到成為九王妃居然是惡運的開始！
疼愛她的家人一一遇害離開她，
發誓今生今世只愛她的他也食言了，
甚至在她挺著大肚子時，他竟背著她爬上別的女人的床！
她傷心欲絕，但至少找到害死家人的兇手，決定報仇，
卻萬萬料想不到，先見閻王的人竟是她……
曾經，她擁有最愛，擁有一切，卻在一夕之間失去一切……

登基為王又如何？既然最愛的她已經不在了，
他決定親手毀了這個拆散他們的皇朝！
卻沒想到她回來了，以一個傻女的身分回到他身邊！
他一點都不在意她的容貌改變，甚至不顧衆人反對封她為妃，
上次她慘死在他面前，原以為憑他是國君，這次定能護她周全，
孰料，七王爺竟死在她床上，依法她不得不住進冷宮……
曾經，上天再給他機會，讓他擁抱最愛，卻又在眨眼間失去……

別人家的嫁妝是瑪瑙珍珠、金銀財寶，
這四大美人的嫁妝卻是菜刀、米缸、春宮圖和照妖鏡?!

史上最不可思議的嫁妝，
為她們的人生帶來了無法想像的劇變……

2011開春第一大喜事——
四「大」美人出閣了，
~~想看哪四個倒楣鬼扛回四大白麵糰……~~
想看哪四個幸運兒娶回豐盈溫潤的美人兒？
甜檸檬新春絕妙歡樂鉅獻——

【無敵嫁妝】

2月9日台北國際書展　喜氣洋洋首賣！

甜檸檬403《乞兒的菜刀經》

陽光晴子

相依為命的爹爹驟逝，身無分文的她僅剩一把爹留給她的黑烏烏菜刀，
依親不成還成為流浪街頭的胖乞兒，聽聞有人在辦廚子大賽，正想去大顯身手，
卻因被人搶了菜刀而大亂現場，惹惱了福滿樓的大當家，
這下好了，從乞兒變成跑堂，她得「賣身」一年給福滿樓當做賠償……

甜檸檬404《米蟲的缸中夫》

綠光

她是米家獨生女，爹爹寵姥姥愛，可就是少了人陪她說話，只好用吃來排遣寂寞，
這天撿了一個昏迷的男人回家，雖然他醒來忘了自己是誰，講話也冷冰冰，
但他做事俐落又會看帳，更重要的是會陪在她身邊聽她說話，
她高興的將母親留給她的白玉米缸交給他當定情物，他隔天竟逃之夭夭……

甜檸檬405《無鹽的小春宮》

湛露

身為畫師傳人，她擅畫人物，卻因其貌不揚，被叔父硬生生奪走族長一位，
於是她偷偷到青樓幫人畫春宮圖，一方面吐怨氣，一方面賺點零花，
此時娘娘突然要求華家族長進宮幫太子畫像作生辰賀禮，她只好充當族長助手，
可這個木頭太子怎麼一直把她當宮女使喚，是他太「眼拙」，還是他故意整她……

甜檸檬406《傻妃的照妖鏡》

明星

人人都笑她笨、她胖、她醜，這樣的她卻莫名成為兩個王爺搶著娶的幸運女人?!
她心知肚明是因為那個傳說中的「照妖鏡」，她迅如閃電的嫁給七王爺當王妃，
但成親後卻被當成空氣般無視，也罷，她向來很能自得其樂，蒔花養草好不愜意，
可這脾氣乖張的夫君竟開始照三餐找她麻煩，這……是他培養感情的方式嗎？

2011
書展
首賣書

主人！歡迎光臨！！

腐視人生　唯有　月光之城　不缺席

月光兔的真心邀請

親愛的主人(泛指任何腐敗的人^^)，
歲末年終沒趕上跨年趴、鞭炮趴都沒關係，
但有一場您一定要參加的耽美饗宴來嘍！
月光之城誠摯邀請您於2/9～2/14至**世貿二館新月展攤**，
與我們一起腐敗您的人生、腐化您的心靈！(遠目)
另外，持**居民證**的主人將享有**月光回門禮**喔。
那麼親愛的主人，月光之城在2011國際書展等你呦！

執事們的貼心服務❤

Ⅰ．現場購書，全書系享8折價。

Ⅱ．購書滿3本以上送2010月光提袋。

Ⅲ．現場可使用百元購書折價券。

Ⅳ．期間加「印」，最後一波：

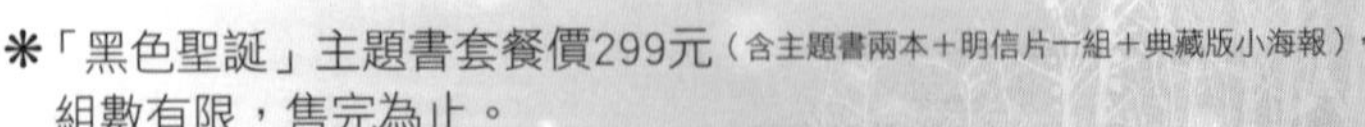

＊「黑色聖誕」主題書套餐價299元（含主題書兩本＋明信片一組＋典藏版小海報），
組數有限，售完為止。

＊全套購買「君王不早朝」主題書或「制服侵略」主題書，
加贈該主題書番外小冊，最後一波，售完為止。

新月家族網http://www.crescent.com.tw
邀月文化事業股份有限公司　郵撥帳號：18977948

大廚們的壞心料理

風夜昕 獻上首部輕奇幻耽美長篇——

月光之城073罪惡城市之　月光之城076罪惡城市之

《異天使》《雙子星》

陸絢，一個逃避謎樣過去的私家偵探，擁有一隻紅色眼瞳，能夠催眠他人；
沈川，對外是設計公司的有錢大老闆，總是散發危險氣息，擁有不死之身。

一個看似平凡的工作委託——尋找擁有天使胎記的失聯兒子，
其實，只是一連串事件的開端，
變種天使、人體實驗、異能者……將為貪婪的城市寫下新章。
陸絢要如何抽絲剝繭，找到真相？
尤其是在——總覬覦他屁股的沈川騷擾之下……

※全套四集，1＋2集2011國際書展首賣，隨書附贈限量明信片，全套預計3月完結

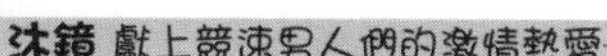

沐鏡 獻上競速男人們的激情熱愛——

月光之城074 **《極限挑戰》**

那一次疾速追逐讓狄清宇遇見了奪去他心魂的人，甚至辭去交警的工作，只為了加入華洛所在的飛車黨。所有人都說他傻，但只有狄清宇自己知道，在黑夜裡奔馳的華洛，寂寞卻專注的眼神像在追逐著什麼，而他願意付出一切代價，成為華洛眼中唯一的追逐……

若兮 獻上盡情懲罰僕人的調教系愛戀——

月光之城075 **《倔僕可屈》**

當年傅子清奉太后之命殺了帝王最寵愛的小倌，原以為慕無淵會看在他曾為帝師，相處多年的份上，忘了，不料，慕無淵登基後，不僅不曾遺忘，甚至恨透了他，才會陷他入獄、貶為奴籍，教他淪落到富商家為僕，所幸主子極為善待他，吃好住好，讓他寬心，但當傅子清發現這主子其實是慕無淵時，他不禁迷惑了，這高高在上的帝王真是恨他？

志藍 獻上惡魔BOSS跟萬能祕書的激情交鋒——

月光之城077 **《BOSS禁制手段》**

就算每天早上被強吻偷襲、上班被熱吻侵襲、晚上再被深吻攻襲的日子已經過了六年，高逸達依然認為「愛是一種行為而非言語」，因此遲遲沒告訴萬明曉六年前那個問題的答案，但有些話不說出口，就一點意義都沒有，這次被捲入海盜逮捕行動的任務，終於讓高逸達認清，他欠了六年的「我永遠屬於你」，該是償還的時候了……

※書展現場全套購買「萬事達系列」加贈番外小冊，購買《BOSS禁制手段》可以30元加購番外小冊。

萬語 獻上狡猾帝王拐盟主的假擊忙真上床——

月光之城078 **《皇上不要》**

為了尋找在宮中失聯的親妹妹，風挽秋仗著一身武功入宮尋人，不料，什麼線索都沒找到，卻看到皇帝酒後失態，不想被殺人滅口的他，只好謊稱為太監，但他沒想到，後宮佳麗三千的沐毅琛，獨獨對他有興趣，這下，他不僅要擔心失身，還得擔心怎麼解釋自己「帶了把」……

2011熱門搶手貨

2011新年初春好氣象，桃花愛情可別急著找——
遇人不淑（?）的後果可是很嚴重的～

花園系列 簡薰 金萱 簡瓔 齊聲告訴你，
急著想婚，小心得承受接二連三的意外驚喜喲～

花園1475 想婚害的之

《愛錯人？》簡薰

也許，她愛錯人了……
他不就是個菜鳥編劇，而且她隨口一句話，就逗得他臉紅紅？
她是很樂意幫他一把，也很喜歡和他一起挖空心思想劇情，
但也不需硬是傳出他們兩人正在談戀愛吧！
只是和他相處久了，她好像有一點點……喜歡他，
卻赫然發現，他根本不呆，而且身邊所有的一切統統是他搞的鬼……

花園1476 想婚害的之

《嫁錯人？》金萱

也許，她嫁錯人了……
不過結婚五個月，她老公就天天加班對她置之不理，
如今，還被她發現他娶她只是為了營造愛家形象好升職，
就是因為他只把她當工具，才不在意她的心情啊？
這種只會讓人寂寞傷心的婚姻她不想要了，忍痛提出離婚，
沒想到他卻堅決反對，更令人意外的用離職表明心意……

花園1477 想婚害的之

《戀錯人？》簡瓔

本來這年紀比她小的企畫助理，完全不在她結婚人選名單裡，
可越看他越覺得他優秀又聽話，不但把她當女神捧在手心上，
連變身成狼人的副總差點傷害她時，也是他英勇幫了她，
如果她放過這樣的好男人，肯定是個超級大笨蛋！
怎知交往後的情況很糟糕，他總是不聽她的話跟她鬥嘴，
還跟別的女人幽會……可惡！她該不會是戀錯人了吧？

2011年1月28日搶手上市～

子紋 偷偷教導妳，
遇到有難的狐仙，除了救他，妳還可以追他！

甜檸檬 401、402

《狐仙女婿》上、下

正因為她不顧自身安危的救了他，
讓他在明知人狐殊途的情況下，還是義無反顧的親近她，
不惜打破不救皇室之人的原則贈藥送她，
甚至甘願步上娘親後塵，為了愛情與狐族為敵……

2011年1月28日真愛上市～

春天 New Spring R211
【敗犬收容所之三】

我的孕母新娘

作　　者＊有容
發 行 人＊徐肖男
副總編輯＊王絮絹
行政副總編輯＊黃雅翎
出 版 社＊新月文化事業股份有限公司
社　　址＊台北市文山區興隆路二段22巷7弄2號1樓
電　　話＊02-2930-1211（代表線）　電傳＊02-2930-4159
劃撥帳號＊18706654　E-mail＊edit@crescent.com.tw
網　　址＊http://www.crescent.com.tw　lunate@ms24.hinet.net
總 經 銷＊功倍實業有限公司　地址＊台北縣三重市中興北街44號5樓
電　　話＊02-2999-0023　電傳＊02-8511-2032
香港總經銷＊全力圖書有限公司
地　　址＊香港新界葵涌打磚坪街58-76號和豐工業中心1樓3B室
電　　話＊(852)2494-7282　電傳＊(852)2494-7609
初　　版＊2011年2月　定價＊新台幣190元

國際書碼◎ISBN 978-986-288-022-7
Printed in Taiwan

每一次的浪漫纏綿都是通往幸福的祕密入口
嗅了愛情、賞了愛情、聆聽了愛情之後
不妨在這個後花園裡回味、回想、回眸
等待下一個繁花似錦的璀璨風華

新月家族會員基本資料欄

姓名\ 性別\ □女 □男

生日\ 年 月 日 教育程度\

身分證字號\ （加入會員者必填，此即為你的帳號！）

職業\ 電話\

地址\

E-Mail\

無可否認愛情有時使人盲目，讓有情人看不清你的臉，
請發聲，我們想知道你的位置。

http:www crescent com tw

讀者回函 >>>

·你與這段愛情故事是怎麼開始的？

你所買的書＿＿＿＿＿＿＿＿，是＿＿＿＿＿＿系列，作者是＿＿＿＿＿

因為：□租書店、親朋好友的口碑推薦 □我是作者的忠實fans □新書預告的宣傳 □封面深深吸引我 □海報強力宣傳 □電子報或網站介紹 □其實是因為＿＿＿＿＿＿

·我們知道你對這本書愛不釋手，請問你是看上了它哪幾點？

□封面的人兒美的美、帥的帥 □封底文案讓我一見傾心 □書名有創意 □內頁編排很舒服 □花絮真是畫龍點睛 □故事題材、內容我甲意 □莫名的喜歡，我想是因為＿＿＿＿＿＿

·如果它不是一百分，它還有哪一點需要再加油的？

□封面的人要去整型啦 □封底文案我哩咧 □故事內容用點心好不好 □題材很老套 □書名像株不起眼的壁花 □內頁編排很傷眼睛 □花絮很無聊 □就是覺得怪怪的，我想是因為＿＿＿＿＿＿

·請將你喜歡的愛情故事類型寫出來，我們就寫給你看！

□纏綿激情（十八禁） □輕鬆有趣 □揪心騙淚的 □清純討喜 □創意十足的 □葷素不拘，好看就好 □大家都是一家人的系列書 □另外，我較喜歡的是＿＿＿＿＿＿

·順便告訴我們你還喜歡哪些作者吧：＿＿＿＿、＿＿＿＿、＿＿＿＿

·最後，我還想說＿＿＿＿＿＿＿＿

請沿虛線剪下，直接投遞（不必貼郵票，謝謝！）

全民大普查 >>>

· 請問你知道草莓妹是誰嗎？ □是 □否 □不太確定

承上，是否知道草莓妹與新月的關係？ □是 □否 □不太確定

· 是否覺得草莓妹的人物形象很可愛，能吸引你的目光？

□很可愛 □普通而已 □一點都不可愛 □沒什麼特別感覺

· 是否希望能看到多一點草莓妹的漫畫？ □是 □否 □都可以

承上，對哪類題材較有興趣？（可複選）

□青春戀情 □校園趣事 □溫馨家庭 □友情萬歲 □都喜歡 □其他 ______________

承上，希望在哪裡看見？（可複選）

□小說 □新月風 □試讀本 □電子報 □部落格 □其他 ______________

· 請問你會想要收藏哪些草莓妹相關商品？

□書卡／籤 □文具用品 □杯墊 □萬用束口袋 □胸章 □精美筆記本

□撲克牌／塔羅牌 □年曆 □海報 □繪本／圖文書 □其他 ______________

· 對草莓妹的建議……

____

（請沿此虛線折疊後郵寄）

郵差先生辛苦您了！

廣告回信免貼郵票
台灣北區郵政管理局登記證
北台字第10739號

BOOKS VIDEO

新月文化事業股份有限公司收

（116）台北市文山區興隆路2段22巷7弄2號1F

地址：……………………………………

姓名：……………………………………